George Phi

A
SCOTS
GRAMMAR

coft on 23/9/08
in Auld Reikie

David Purves

A
SCOTS
GRAMMAR

Scots Grammar and Usage

REVISED AND EXTENDED EDITION

David Purves

THE SALTIRE SOCIETY

A Scots Grammar first published 1997 by The Saltire Society
This revised and extended edition published 2002 by

The Saltire Society
9 Fountain Close,
22 High Street,
Edinburgh EH1 1TF

A catalogue record for this book is available
from the British Library.

ISBN 0 85411 079 8

Illustrations by Shaun McLaren

Cover Design by James Hutcheson

Printed and bound in Scotland by Bell & Bain Limited

CONTENTS

ACKNOWLEDGEMENTS

Before the publication of the first edition of this book thanks were due to Professor A J Aitken, Honorary Preses of the Scots Language Society and formerly editor of the Dictionary of the Older Scottish Tongue, for his wise counsel. In his review in *LALLANS 51, Caunilmass 1998*, Professor Aitken made a number of criticisms on points of detail, for example, he chided: *"I see we get some conjunctions lettin an ti be adverbs on p.33"*, but on the whole, he was sparing with the tawse. It is hoped that these shortcomings have now been successfully rectified.

Thanks are also due for constructive suggestions by Professor Graham Caie of the Department of English Language, Glasgow University, to Iseabail Macleod of the Scottish National Dictionary Association and to Dr Caroline Macafee of the Department of English at Aberdeen University, who read through the draft text.

A Scots Grammar owes much to the Shetlandic Grammar (Grammar and Usage of the Shetland Dialect), compiled by John J Graham and T A Robertson, first published in 1952 by the Shetland Times. This included a number of grammatical features of Norse origin still shared with mainland Scots, and provided a useful model for the layout employed.

Thanks are also due to Dr Philip Robinson, whose Ulster-Scots Grammar published in 1997, has proved an Aladdin's Cave of Scots idiom and syntax: an invaluable part of the rich linguistic heritage shared by Scotland and Ireland.

D.P.

FOREWORD

Languages, by their nature, are variable. There are different regional dialects; different registers, notably literary language as against colloquial speech; and, in the case of minority languages, there are varieties influenced — some would say corrupted — in various degrees by the dominant language. Scots is no exception to this. It is an ancient language, with a venerable literary tradition, and as such, it possesses both a wide geographical range of dialects, from Shetland to the Borders and from Donegal to Fife, and a literary register somewhat independent of the spoken language. And as Dr Purves points out, while the spoken language is increasingly eroded by English, the literary language — which he would see as the safeguard of the past tradition and future development of Scots — is peculiarly susceptible to English influence in the area of grammar. His goal in this book is to alert writers, and others interested in a full-blooded Scots, to the great richness of Scots grammar and its many differences from Standard English.

To do this, he has assembled a wealth of material from the scholarly literature on Scots, supplemented by his own observations of Scots speech in his native Borders, including some very interesting features which have not been noted previously.

In any language revival, an essential stage is the fixing of standards amongst the welter of variation that is always found in the untended garden of natural speech. This work is an attempt to fix such standards for Scots grammar. It is not a descriptive, but a prescriptive work. The Scots set out here is an ideal, not something that the reader should expect to encounter in exactly this form either in Scottish literature or in the streets and fields of the Lowlands. Each individual point is historically part of the Scots language. The illustrative quotations are based on Dr

Purves's native idiom, on proverbs and on quotations (sometimes modified to suit the context) from Scottish literature.

Dr Purves is well known to lovers of the Scots language. He has laboured over many years on standardising the spelling of the language, culminating in the Scots Language Society's 1985 "Recommendations for Writers in Scots", which combine his own thinking with the "Scots Style Sheet" used by writers of Standard Scots from 1947 up to that time. He is a former editor of LALLANS (the journal of the Scots Language Society), and a past Preses of the Society.

He is also a prolific and successful writer of Scots, resolutely employing standardised orthography. His poems in Scots have been published in numerous magazines and journals, including *Akros, Cencrastus, Chapman, Lines Review* and *NorthWords*. A collection of poetry, *Thrawart Threipins,* was published by Aquila Press, Skye in 1976. In recent years, he has directed his enthusiasm towards the theatre, with professional productions of three plays, including *The Puddok an the Princess,* which won a Fringe First Award at the Edinburgh International Festival in 1985, and was toured around Scotland twice by Theatre Alba. His translation and adaptation of Shakespeare's Macbeth was published by Rob Roy Press, Edinburgh in 1992 and a further collection of poems, *Herts Bluid*, was published by CHAPMAN, Edinburgh in 1995.

CAROLINE MACAFEE
King's College, Aberdeen

INTRODUCTION

The term 'Scots' is now a generic term which covers every aspect of the language: the language of the medieval makkars and the Scottish Court, the literary Scots which developed after around 1700 and all the surviving dialects, such as the speech of Buchan, the Borders and Caithness. Contemporary colloquial Scots is what is left to us of the State Language of Scotland before the Union of the Crowns in 1603. This book attempts to summarise and codify the predominant patterns in this language, in the hope that this information will be of assistance to those who wish to study Scots, in particular, to prospective writers and teachers.

Whether any form of speech is generally seen as a language or not is essentially a political question, since it depends to a large extent on the socio-political status of those who speak it. Portuguese, for example, would now be seen as merely another Iberian dialect, if Portugal had not succeeded in freeing herself from Spanish government in the 17th century. Similarly, Dutch would have become no more than another form of Low German had it not been for the historical independence of the Netherlands. The loss of prestige of Scots is therefore a direct consequence of Scotland's loss of political independence. Because Scots has always been closely related to English (though no more closely than the Scandinavian languages are to one another), this political development made it possible to represent Scots as no more than an incorrect or corrupt form of English, rather than the language of a whole people, with a unique character of its own.

1

Since the Treaty of Union of 1707, generations of Scots have had to come to terms with a situation in which they were taught English at school and where the way of speech natural to them was officially regarded either as wrong by definition, or as a dialect unworthy of use as a serious medium of communication. Gaelic, the earlier language of the Scottish Kingdom, the *lingua Scotica,* received similar treatment in schools in areas within the Gaeltacht. The covert political objective behind this kind of policy was evidently to undermine Scotland's national identity. The dilemma involved introduced a schizoid element into the national psyche, for with many people, the 'true self' associated with the complex of feelings and attitudes acquired at home in childhood, had to be denied in the interest of material advancement, in favour of a false persona.

At school, a policy of cultural repression became the norm and generations of children were presented with an image of 'correct' or 'good' English, but little or no attempt was made to present an image of good Scots. Commonly, the natural speech of Scots children was simply represented as a deviation from good English. For example, children were liable to be told that sentences such as, *The nichts is fairlie drawin in,* are bad grammar, or ignorant speech, although this is perfectly good Scots. James Hogg was also criticised by his contemporaries for his bad grammar in writing the song, *When the Kye comes Hame,* although the practice of using, what would be from an English perspective, the singular form of verbs with plural subject nouns has been a common feature of Scots since the time of the medieval makkars. In the 16th century, Alexander Montgomerie wrote in his poem, *The Nicht is Neir Gone: The fieldis ourflowis? With gowans that growis/ Where lilies lyke lowe is,/ As red as the ro'an.*

Low[1] has cited the case of a schoolboy who was asked to compose a sentence containing the word *bell* and offered the following: *The skuil bell skunnert ma lug.* Since this imaginative sentence was regarded as unacceptable, the boy's feelings seem to have been fully justified. A situation was created in the schools, which often continued throughout life, in which Scottish children felt that what they really were was unacceptable, or even

2

something to be ashamed of, so that the sooner they divested themselves of their indentifiable Scottish characteristics the better. The psychological damage caused by this self-hatred is incalculable and the existence of condemnatory attitudes towards the natural speech of children at school has greatly contributed towards the erosion of Scots. In the circumstances, it is rather surprising that Scots has survived so long, either as a means of self-expression or of communication.

The fashion for anglicisation of speech was not confined to the eradication of the surviving lexis of specifically Scots words, but the Scottish accent which came to be associated with the English spoken in Scotland, also came under attack as a deviation. This kind of English had a vowel system derived from that associated with spoken Scots, and although it was well understood internationally wherever English was spoken, it was for a long time deemed unsuitable for drama students or for use by announcers employed by the BBC in Scotland.

Before the restoration of a Scottish Parliament, there was a burgeoning interest in teaching Scots at both school[2] and university level, but there now seems to be some doubt whether Scots should be regarded as a language, or as a conglomerate of residual dialects eroded to a varying extent under the influence of English in the media and at school. It is difficult to see how any of the surviving dialects can effectively be taught in Scottish schools. None of them has an extensive literature and none of them, except Shetlandic, a contemporary published grammar[3] which could be used as a basis for instruction in Scots. Furthermore, most teachers in Scotland are not native to the Scottish dialect area in which they teach. Scots cannot effectively be taught through the medium of its surviving regional dialects, which are now seriously eroded and infiltrated by English as a result of earlier 'educational' policy.

The normal way to teach any language is by reference to the literature in it, and to the idiom and grammar which the literature exemplifies. While every language is subject to continuous change, the literary form of each language is an anchor which provides linguistic continuity: a standard which ensures that the changes which become established are evolutionary in their nature. There is a substantial body of literature in Scots from around 1700 to the present time, which is surprisingly consistent linguistically, and which could be used as a useful teaching resource. However, what now survives of spoken Scots has now become linguistically dissociated in some respects from this literature. There is now a serious disjunction between current colloquial speech and the substantial body of literature in Scots. This has created a problem for some Scots writers who feel that, in order to represent the way Scots people now speak, it is necessary to write in personal versions of their own local dialects. The ongoing debate on this tendency has recently been discussed by Corbett.[4]

As David Murison has pointed out,[5] the eighteenth century saw the disappearance of Scots as a full language in which the spoken form was employed for every purpose of life. This book cannot therefore be regarded as comparable with a grammar of any language for which a full canon still survives. It has to be viewed more as a description of grammatical features identified with Scots as it has existed since the beginning of the development of the present literary tradition.

Although the existence of a significant literary tradition in Scots has been an important factor in favour of its survival, as a result of the treatment of spoken Scots in the schools, many grammatical and syntactical features of the spoken language have seldom been represented in writing. Some of these features can still be found in contemporary speech. My purpose in listing such features in this book was to provide a grammar resource for teachers and writers in Scots who may be unaware of their existence. All the examples of sentences quoted to illustrate the occurrence of such features are either well-known in the body of literature, proverbs and song in Scots, or are familiar to the author in colloquial speech. English translations are not invariably given for the expressions quoted and it has been assumed that the reader already has a rudimentary knowledge of Scots and access to a Scots dictionary.

The need to develop Scots as a national language has been argued by McClure[6] in a paper which inspired some criticism from Aitken[7]. McClure made an analogy with the Norwegian experience in creating Nynorsk. This analogy is perhaps misleading, since it relates to the synthesising of an artificial language from ancient roots. In Scotland, a national written language is already incipient in the existing fragmentary literature in Scots and, to some extent, in surviving colloquial speech. While literary Scots, could, given the will, be developed into a standard form of written Scots, there are great problems of definition.

Most of literary Scots is in verse and the language is very variable, depending on the extent to which it has been anglicised by various writers. Burns, for example, switched smartly into English in poems in Scots whenever he wanted to be seriously reflective, and MacDiarmid was greatly influenced by the standards of English literature and a distaste for Scots dialect[8]; otherwise he would never have written, *Yin canna thow the cockles o yin's hert* in A Drunk Man looks at the Thistle.[9] This is something it is impossible to imagine anyone ever saying in Scots.

Contrary to popular opinion, anglicisation of native grammar and syntax is not uncommon in MacDiarmid's writing in Scots. Furthermore, in recent years, a fallacious belief has gained ground[10] that MacDiarmid invented a new artificial language called *Lallans*. This was a notion he repudiated in his autobiography, when he stated:

> There is a consensus of opinion that I have achieved a miracle—
> inventing a new language out of the dialects into which Scots
> has disintegrated......., and writing indisputably great poetry in
> this unlikely, if not impossible, medium.

Macafee has stated in an important paper[11]: 'In grammar, more than at other linguistic levels, modern written Scots tends to adhere to the model instilled by literacy in Standard English.' This is a natural consequence of the representation of Scots in the schools over a period of generations, as an incorrect form of

English. The adherence by writers in Scots to the standards of English grammar and orthography is not of course a modern phenomenon: it has been a characteristic of writing in Scots since the late sixteenth century.

The magazine, LALLANS, which is the journal of the Scots Language Society, is the only publication which regularly appears in Scots. As such, it has provided an important outlet for writers who want to try their hand with Scots. Since it first appeared in 1973, the editorial policy, which was initiated by J. K. Annand[12], has been to encourage prose writing in Scots with a view to extending its use in areas where it has never been adequately developed. To write a review or obituary or a piece of discursive prose, presents a challenge even to writers who are competent in writing verse or narrative prose in Scots.

Against the background of continuing erosion of colloquial Scots, it is arguable whether a substantial proportion of recent writing, purporting to be in Scots, can properly be regarded as Scots at all. Much contemporary material contains few of the features which characterise the language, and appears to consist of attempts at back translation from English into personal notions of what Scots is. What can we make, for example, of such a sentence as, *Ah wouldnae of came if Ah had of knew?* Should this be described as some kind of Scots or simply as bad English?

And what can we make of the following excerpt from 'Lament for a lost Dinner Ticket' by Margaret Hamilton? This was included for study in a recent course on Scots Language attended by the author.

They sed Wot heppind?
Nme'nma belly
Na bedna hospital
A sed A pititnma
Pokit an she pititny
Washnmachine.
They sed Ees thees chaild eb slootly
Non verbal?
A sed MA BUMSAIR
Nwen'y sleep.

This has its charms, but the projection of this kind of DIY language as modern Scots, simply perpetuates the notion that Scots is corrupt English.

The line, *thi psychopomp huz huddiz oor,* appeared in a piece of verse in The New Makkars, 'an anthology of contemporary poetry in Scots' published in 1991. This is of interest because it raises the question of whether it is possible to write poetry in a personal register which is evidently intelligible only to its author.

Some of the so-called Scots currently written and published may be syntactically and idiomatically English and attempts to compensate for its bogus character, by spelling English words in an unusual way. It is not possible to write well in Scots without experience of colloquial speech, or without a sound knowledge of Scots idiom and syntax. In the absence of distinctive features of Scots grammar, as exemplified in such sayings as, *Auld men dees an bairns suin forgets,* the language loses its unique quality. Good Scots certainly cannot be written by anybody who decides to invent his own orthography and grammar off the cuff, because it is too much effort to discover the standards inherent in speech and in the substantial corpus of literature which already exists. A passage in English cannot be transformed into Scots simply by substituting Scots words for English words without reference to structure and idiom.

One of the consequences of representing Scots at school as a corrupt kind of English requiring correction, has been the now popular view that 'Good Scots' does not and cannot exist and that all Scots is simply a deviation from 'Good English'. The Swedish linguist, Sandred,[13] in a study of social attitudes to the use of Scotticisms in Edinburgh, reported the case of a girl whose mother hit her so hard on the face when she heard her using the word, *ken*, that she lost two front teeth. The politically-based notion that somehow, Scots is inherently bad, has been implanted over a period of centuries in the Scottish psyche, and this will be difficult to dispel. There is something far wrong with the ethos of a country in which a schoolchild (reputedly in Broughty Ferry) feels impelled to refer to the *Tay Brig* as the 'Toe Bridge', for fear of being guilty of a Scots pronunciation.

Properly, 'Good Scots' ought to be seen as Scots which is internally consistent in which traditional linguistic features have not been seriously ignored by the writer. This being said, it would hardly be realistic to expect that future writers employing Scots should regard all the grammatical features referred to in this work as rules to be rigorously obeyed in any acceptable writing. For example, the use of what appear to be singular forms of verbs with plural noun subjects (as in, *bairns is easie pleased)* will probably continue to be seen as an option, rather than an obligation, by Scots *makkars.*

Now that a Scottish Parliament is established with responsibility for education and the arts, no doubt there will be major changes in educational policy for the Scots language. At the time of writing, the Scottish Executive advocates the inclusion of Scots in the school curriculum. In the present situation, it seems unlikely that literacy in Scots can be sustained for very long, unless the language is effectively taught both at school and university level.[14] This can only be done by regarding Scots as a linguistic system in its own right, distinct from English, although closely related to it. Two resources which are obviously necessary for this purpose, are a generally recognised orthography and a recent Scots grammar. In recent years there has been some progress towards standardisation of Scots spelling (See THE SPELLING OF SCOTS, p.109 and APPENDICES I - III).

The most recent publication which could be regarded as a Grammar of Scots was a 'Manual of Modern Scots', which appeared in 1921[15]. Thus the publication of the present work is long overdue. A grammar of Shetlandic, which can be regarded as a branch of Scots, was published in 1952 and reprinted in 1991.[3] The Shetlandic grammar describes many features which have parallels in mainland Scots. The Shetlandic work has been the inspiration for this book and provided a model for it.

More recently, a grammar of Ulster-Scots has been published by Philip Robinson[16], and this is a valuable reference work for the Scots language as it has developed in Ulster. Many of the numerous examples given of Scots idiom and syntax are still relevant to mainland Scots. The scope of the present work is more limited and, no doubt, a more comprehensive academic work will be required for the new millennium, but this revised edition of *A Scots Grammar* is again offered on the grounds that *bannoks is better nor nae breid.*

David Purves
2001 AD

SCOTS IDIOM

The Scots Language has always been closely related to English. About fifty per cent of the words commonly found in literary Scots are used in common with English. A large proportion of distinctively Scots words have closely related English equivalents, e.g. *snaw, snow; bane, bone; hert, heart; breid, bread; steir, stir; buit, boot; cou, cow; finnd, find; richt, right.* Scots has evolved, over the centuries, from the Northumbrian form of Anglo-Saxon, in continuous contact with English. For these reasons, Scots is often regarded as simply a dialect of English: sometimes as an uncouth kind of English. One English academic has defined Scots pejoratively as: SCOTTISH NON-STANDARD ENGLISH - WORKING CLASS. This is to denigrate Scots as a deviation from a linguistic standard imported from outside Scotland. The number of strictly grammatical differences between Scots and English is, undoubtedly, not very great. Nevertheless, such a definition is not generally acceptable, if not offensive, to most people who see themselves as Scots. According to Bill Bryson,[17] because Scots is sometimes almost incomprehensible to some English speakers, a case can be made for regarding it as a separate language.

Certainly, Scots idiom is radically different from Standard English and the difference between the emotional quality (the 'feel') of authentic Scots and English is palpable. This difference is as much dependent on idiomatic and syntactical features as on the presence of specifically Scots words. Such a phrase as, *Ye'r feirt for the day ye never saw,* conveys a subtlety of meaning absent in any current English construction. In the English now spoken in Scotland, many people are quite unaware that although they may have abandoned specifically Scots words, they are continuing to use Scots idioms and a sound system closely based on that associated with spoken Scots. For example, in Scots English, there is a marked preference for 'Please sit down!' over 'Do sit down!, 'I would think so' over 'I should say so' and the verbal forms 'ought' and 'may' are avoided; as is the extravagant use of adverbs like *awfully, frightfully,* and *terribly.*

The value of Scots as a medium of artistic expression is largely dependent on the presence of idiomatic features. This, of course, cannot be regarded as a justification for writing Scots prose which has been purged of its lexis of specifically Scots words, while retaining the characteristic rhythms of Scots speech.

The following sentences exemplify grammatic features dealt with in this work and illustrate some of the striking idiomatic differences in character between English and colloquial Scots.

Things is different awthegither, bi what they war lyke afore the War.

Things are quite different now compared with what they were like before the War.

Bi what A hear tell, she'l no hae hir truibils ti seek.

I have been told that she will probably have many problems.

A dout Angus canna tell a rich man bi a puir.

I am afraid Angus cannot tell the difference between a rich man and a poor one.

A dout Tam wul git his kail throu the reik the-day.

I fear Tom's wife will be angry with him today.

She wesna verra weill sutten doun, lyke, whan in mairches hir guidman, the tyke ahint him.

She had just sat down when her husband marched in with the scruffy dog at his heels.

What wi aw the stramash, A'm no richt shuir whuther A'm gaun or cummin.

After all the excitement, I'm in a state of utter confusion.

Jek is gey ferr ben owerby.

Jack is on very good terms with the neighbours across the way.

See an gether me a pikkil rhubarb whan ye'r owerby!

Make sure you gather some rhubarb for me when you are over the way.

Callum's been rael hard-up an A dout he's gey ferr throu wi it nou.

Callum has been very ill and I'm afraid he may not last much longer.

She haes a face on hir aye that wad soor milk.

She always has a sour expression on her face.

A wadna say but the micht be a shour o snaw the-morn.

It looks like snow tomorrow.

"Whatlyke fettil the-day" "A dout A'm fair cummin doun wi the cauld"

"How are you today?" "I am afraid I have a severe cold."

Nae'ther wunner ye'r nithert an you wi that thin semmit on!

It's not surprising you're feeling frozen, in view of the fact that you are wearing a thin vest.

The guidwyfe o Kittilrumpit kent nou wha she haed ti dael wi.

The lady of Kittlerumpit knew now with whom she had to deal.

Rab haes been gey peel-an-aet sen he quat his wark.

Rob has been rather poorly since he gave up his employment.

Thon laddie cloured me ower the heid wi a gret mukkil big stane.

That boy over there hit me on the head with a very large stone, which raised a contusion.

She wes a gangrel bodie an a richt puir shilpitlik craitur.

She was a vagrant and a poor puny creature.

This fluir coud be daein wi a richt guid scrub.

This floor needs to be well scrubbed.

Here im A, in the middle o ma denner, whan Airchie Broun yokes on me, ower the heid o the siller A wes awin him.

I was busy eating my lunch when Archie Brown interrupted me about the money I owed him.

Cum awa inby, man, an sit in til the fyre!

Please come in, my good fellow, and pull a chair up to the fire!

In his eild, Ewen is richt dottilt gittin.

In his old age, Ewen is becoming quite gaga.

It's a peitie but what ye haedna gien the dug hir denner afore we gaed oot.

It's a pity you didn't feed the dog her dinner before we went out.

A'm thinkin, ye'd be nane the waur o haein yeir heid cut, nou.

You now need a haircut.

Donald's mebbe a bit o a heid case, but the'r nae ill in him.

Donald is perhaps a little odd, but he's quite harmless.

Its late on, sae A'd better see ye the lenth o Princes Street.

It is getting late, so I must accompany you as far as Princes Street.

Here, son, ye wadna be sae guid as ti see me ower the road?

You, boy, kindly help me across the street!

Ye soudna speak ti me lyke that.
You ought not to speak to me in such a way.

Andrae wes saicont lest in the race.
Andrew was last but one in the race.

Wullie haes aye shedd his hair on the richt.
Willie has always parted his hair on the right.

What wi ma mittilt leg, A never gang ma fuitlenth ower the houss door thir days.
Because of my injured leg, I never leave the house these days.

Stewart says he's no gaun back, til the skuil kis Miss Drummond winna lat him alane.
Stewart says he won't go back to school because Miss Drummond will not leave him alone.

A canna git weill fordilt wi ma wark for that bletherin wumman aye cummin in an hinnerin me, lyke.
I can't catch up with my work because that gossiping woman always comes in and wastes my time.

A'm sorry A slept in, Miss! Ma mither is in hir bed wi the cauld.
I'm sorry I overslept, Miss. Mother is in bed with a cold.

Jennie is aye feirt for the day she never saw.
Jennifer is always anxious about what she imagines might happen.

The story is probably apocryphal that at the tine of the outbreak of World War I, when most newspapers were preoccupied with the consequences of the assassination of the Archduke of Austria, a north-east newspaper employed a headline to the following effect:

MUKKIL NEIP BEIRS THE GRIE AT TURRA MERCAT!
Giant turnip reigns supreme at Turriff market!

THE ARTICLES

Indefinite Article

In contemporary written Scots the indefinite article is generally (as in English) *a* before consonants and *an* (or *ane*) before vowels. In modern spoken dialects the tendency is to use *a* before both consonants and vowels.

*We saw **a elephant** at the zoo.*

*The'r **a auld wumman** wantin sumthing at the back door.*

The consonant, *h*, as in contemporary English, is usually aspirated at the beginning of words.

*We whyles hae **a historie** lesson i the eftirnuin.*

*The'r **a hotel** bi name o the Red Lion the ferr end the Nether Gait.*

There is a tendency in Scots to use the indefinite article with a noun where a verb might be more normal in English.

*Jennet is awa for **a soum**.*

*Douglas is haein **a sleep** the-nou.*

*Wul ye no tak **a saet** an tak a wecht aff yeir feet?*

*A aye lyke **a bit dauner** afore ma denner.*

Definite Article

This is used:

(a) Before certain words where the indefinite article would some-
times be used in English:

> *It brocht **the tear** til hir ee.*

> *This wul bring **the smyle** back on yeir face.*

(b) Before certain words where it would be omitted in English:
the kirk, the tea, the denner, the stair, the skuil.

> *We'r aw gaun til **the kirk** this mornin.*

> *Is **the tea** never lyke made yit?*

> *Whit's for **the denner** the-day, A wunner?*

> *She's awa up **the stair** til hir bed.*

> *It winna be lang nou or yeir wee brither sterts at **the skuil**.*

(c) Before the names of diseases and conditions: *the cauld, the
bowk, the byle, the strunts.*

> *She's taen til hir bed wi a richt dose o **the cauld**.*

> *It wad fair gie me **the bowk** ti eat a snail.*

> *A dout A hae gatten a touch o **the byle**.*

> *That horse haes taen **the strunts** at hearin yon balloon
> burst in the croud.*

> *Nettie's gey hard-up wi **the rheumatics** thir days.*

(d) Before the names of days or seasons: *the Monday, the Spring,
the Simmer, the back end, the Wunter.*

> *A'm aye gled (for) ti see **the back** o **the Wunter**.*

> *He's cummin ower ti see us on **the Setterday**.*

(e) Before a cardinal number.

> *As ferr as A mynd the war juist **the twa** o thaim i **the ae**
> houss.*

(f) Before the names of activities, occupations or fields of learning: *the dauncin, the Laitin, the jynerie, the readin, the soumin.*

*It's no aften ye'l finnd me at **the dauncin** thir days,*

*He fairlie kens **the Chemistry**.*

*A hear tell Stein is a dab haund at **the jynerie**.*

(g) In some constructions, where a possessive adjective would be used in English:

*Did **the wyfe** no tell ye ti keep **the heid**?*

(h) In a number of adverbial combinations where it may take the place of *to* in English: *the-day, the-nicht, thegither, the-morrow.* Also, in *the-week, the-nou, the-morn, the-morn's mornin, the morn's eftirnuin, the morn's nicht.*

*The meetin is in the Toun Haw **the-morn's** forenicht.*

Yestrein the Queen haed fower Marys/
***The-nicht** she'l hae but thrie.*

NOUNS

Proper Nouns

There are Scots familiar forms of a number of well-known Christian names. For example: *Airchie, Ake, Andrae, Callum, Dauvit, Dod, Dougie, Eck, Frase, Hab, Jeck, Jamie, Jeems, Jock, Rab, Ringan, Rowan, Roy, Sandie, Stein, Tam, Weelum, Wull, Wullie, Agg, Aggie, Ailie, Beattie, Beenie, Bell, Eppie, Florie, Girzie, Grizzel, Jennet, Jintie, Kirstie, Leezie, Mag, Mailie, Mallie, Marget, Meg, Mey, Mirren, Pheme, Teen, Tib.*

The terms, *man, maister, wumman, mistress, laddie, lassie* and *son* may be used as less specific modes of address.

*Is that the best ye can dae, **man**?*

*Sae they cam an waukent him, an said til him, "Sauf us, **Maister**, we'r lyke ti be drouned!"*

*Is the supper never lyke ready, **wumman**?*

*Thae kail war rael guid, **Mistress**.*

***Laddie, laddie**, ye ir aye by me, an awthing A hae is yours.*

***Lassie**, A haena brocht mukkil siller wi me. Wad ye be sae guid as ti tak a cheque?*

*Ye wadna lyke for ti see me ower the road, **son**?*

21

Personal names often have specifically Scots pronunciations. For example, *Brown (Broun), Dobson (Dabson), McGregor (MacGreegor), McLaren (McLairen), Thomson (Tamson), Turnbull (Trummel), Wilson (Wullson).*

The days of the week are as in English, except: *Tysday, Wodinsday, Fryday, Setterday.*

Months: *Janwar, Februar, Mairch, Aprile, Mey, Juin, Julie.*

Common Nouns

A range of nouns signify quantity, such as *bit, drap, gowpenfu, hantil, kennin, morsil, mouthfu, mukkil, neivefu, pikkil, plenty, sowp, spuinfu, tait* and *whein.*

> *Monie a **pikkil** maks a **mukkil**.*

These can be used adjectivally as quantifiers without necessarily being followed by 'o'.

> *Dae ye fancie a **bit** (o) kebbok wi yeir breid?*

> *A'l hae a **drap** (o) wattir for a stert.*

> *Tak a guid **gowpenfu** (o) meal!*

> *They believed a **hantil** queer things in thae days.*

> *Even in Mey the'r aye a **kennin** snaw in the corries.*

> *Ye wadna be sae guid as ti gie me anither **morsil** (o) breid?*

> *A'l try a **mouthfu** (o) parritch.*

> *The'r ower **mukkil** saut in this kail.*

> *Thraw in a **neivefu** (o) barley!*

> *A **pikkil** saut wadna gang wrang.*

> *The'r **plenty** (o) guid kail here for awbodie.*

> *Ye haena a **sowp** (o) wattir ti gang wi the whuskie?*

> *Wad ye lyke anither **spuinfu** (o) kail?*

> *She haed a **tait** (o) siller stowed forby in the biscuit barrel.*

> *Grannie haed a **whein** ither ploys o hir ain.*

Other quantifying nouns, such as *clekkin, daud, fek, jirbil, maitter, peck, pund, rowth, skuddok* an *whang* are normally followed by '*o*'.

The war a gey **clekkin** *o fowk at the sale.*

A wee **daud** *o butter wad be aneuch.*

The'r nae **fek** *o wattir i the loch the-nou.*

Wad ye gie me anither **jirbil** *o tea juist ti slokken ma thrappil?*

It winna cost mukkil for the bairn's Christmas: a **maitter** *o thrie fower pund for falderals for the stockin.*

A aye order a **pund** *o mince at the weekend.*

Wullie brewed a **peck** *o maut.*

O, ye'r braw wi yeir paerls an yeir diamants./ Ye hae **rowth** *o awthing ye may say,/ an thare's nane haes gat bonnier een, Kate;/ 'Od, lassie, what mair wad ye hae?*

A'l try anither **skuddok** *o yeir guid kebbok.*

A coud dae wi a **whang** *o that ginger breid.*

The use of nouns as qualifiers is common in Scots as in English. For example, we have: *bawheid, breik backsyde, breik erse, breik leg, butcher meat, Cripple Dick, fish guts, grund houss, hedge ruit, heid case, hoch bane, houss deil, houss door, lobby press, marrae bane, mutton heid, muck midden, pudden brie, sea-maw, sek needle, snaw brie, stockin fuit, street saint.*

A hear tell yeir Provost is a bit o a **bawheid** *an they ir sayin he lykes a guid dram.*

Gordon's mither dernt a patch on his **breik backsyde** *wi a* **sek** *needle.*

We maun hain in an keep oor ain **fish guts** *for oor ain* **sea maws**.

A wadna lyke ti be a tramp sleepin at a **hedge ruit** *on a wyld nicht lyke this.*

He disna lyke ti gang ower the **houss door** *whan the'r* **snaw brie** *on the caussie.*

That **lobby press** *is a fair* **muck midden.**

A dout oor Sean is no juist a **mutton heid**: *he's a* **heid case** *anaw!*

Sae ye wad skaud me wi **pudden brie**, *wad ye?*

Phaemie wes aye a **street saint** *an a* **houss deil**

After certain nouns such as *drawers, table, brae, hill, stair,* the words *heid* or *fruit* can be used to locate position.

The tyme piece is on the **drawers heid.**

Hir **table heid** *is never richt cleared.*

The doctor's houss is at the **brae heid.**

Beenie is a richt **stair heid** *limmer, lyke.*

The jaw box is doun at the **stair fuit.**

Scott bydes up aboot **Yarrow fuit.**

The'r an auld bothie doun at the **burn fuit.**

Ye micht finnd mair trout doun at the **wattir fuit.**

Plurals

The following plurals are irregular:

cou	kye	mouss	myce
ee	een	ox	owsen
fuit	feet	shae	shuin
guiss	geese	tuith	teeth
louss	lyce	wumman	weimen

Nouns expressing measurement in time or space are used without plural sign directly after a numeral:

It's mair nor fower **hour** *sen Dod wes here.*

Chairlie wes here himsell thrie or fower **day** *syne.*

Ai, A haena seen Jennet this fortie **year!**

*Elgin's mair as thertie **myle** awa.*

*He coud pit awa seivin or echt **pynt** at the yae dounsittin!*

This feature could be identified in the speech on the Gaelic side of the Highland line in the eighteenth century.

*Ta cove wass tree, four **mile**; but as duinhe-wassel wass a wee taigilt, Donald could send ta currach.*

Otherwise plural forms are used normally when the noun does not directly follow the adjective.

*Forfar is seivin wearie **myles** frae here.*

*We thinkna o the lang Scots **myles**, /
that lie atwein us an our hame.*

Words like *brose, kail, parritch, soup, sowens,* are still occasionally treated as plurals.

*Sowp up **thir guid kail** whyle **they ir** still het an ye'l ken the guid o thaim whan ye gaun oot!*

***Thae parritch** ir ower wersh.*

*A coud dae wi mair o yon soup. **They war** rare!*

***Sowens** ir haurlie a richt denner.*

As in English, the singular forms of *beiss, fish* and *sheep* are the same as the plural.

*The'r a hantil cattle **beiss** i the glebe the-nou!*

*The'r mair **fish** in the sea as whit ever cam oot!*

PRONOUNS

Personal Pronouns

The First Person Singular Nominative is often represented as A; sometimes as *Ah* or *ah*. The English spelling, *I*, is often used, but *A* gives a better indication of the pronunciation.

A didna richt ken whit A wes thinking aboot!

First Person

Nominative	A	we/oo*
Objective	me/iz	us/oo*
Possessive	mynes	oors

*oo is mainly associated with south Scotland, where it may be used either as a subject or an object in the Borders.

*A wad lyke for ye ti gie **iz** a kiss.*

*Miss Hogg whyles helps **oo** wi oor soums.*

***We/Oo** wad lyke ye/ee ti cum alang wi **us/oo**.*

*Aw thir books is oors an this ane is **mynes**.*

Second Person

The singular of the Second Person pronoun was originally a familiar form used for addressing friends or children, but its use is now entirely literary, except in Shetland. What was originally the plural form is now generally used.

Nominative	thou	ye/ee/you
Objective	thee	ye/ee/you
Possessive	thyne	yours

Is yon parcel yours?

Colloquially, *ee* is often used for *ye* and it is not unknown in literary Scots.

An lang I've socht ee, lang an sair:

An earlier distinction between nominative *ye* and accusative, *you*, has disappeared and *you* is now often used as a stressed form.

Compare: *What ails ye/ee?*
What the mischief ails you?

Third Person

Nominative	he, she, it, they
Objective	him, hir, it, thaim
Possessive	his, hirs, its thairs

The sweeties war thairs. They warna hirs ti tak.

The form, *hit*, may be used for *it*, to confer emphasis.

"Is yon the zoo?" "Ay, thon's hit!"

In the game of hide and seek, the term *het*, identifies the player who looks for the others.

We'l play at hide an gae seek an ye'l/ee'l be het!

The objective case of pronouns is invariably used after the verb *ti be*, as in *It is me! It's hir! It wes thaim!* etc. It is also used when the pronoun is not identified as an individual subject, as in sentence fragments.

A'm gled thon Mistress Cockburn is no cummin — hir an hir fantoush Inglish speak.

When there is more than one subject pronoun, (or a combination of pronoun and noun subjects) the objective forms, *me, hir, him* etc. are used nominatively.

Him an me *wul tak a bit dauner doun til the wattir.*

Hir an hir faither *wul be ower this efternuin.*

Hir an me *never gat on that weill.*

But **me** *an ma true love wul never meet again.*

This practice has been identified in Argyll Scots.

Me an Shon *wass haein a tram thegither in the Croun Hotel.*

When pronouns are objective, the direct objective usually follows the indirect and this also applies when one of the objectives is a noun.

Thraw me it!	*Gie hir it!*
Haund him it!	*Gie the bairn it!*
Thraw me the baw!	*Rax me the jeilie!*

In pseudo-Highland Scots, the expression, nainsell (derived from *myne ain sell),* has often appeared in writing. It may represent personal pronouns in a variety of cases and genders:

Did ye ken hir nainsell (I) pe coosin to yourself?

Hir nainsell (you) maun chust caw cannie now!

Hir Grace (the duke) maun pe wantin his denner, for hir mainsell (he) is busy sherpin his teeth.

Demonstrative Pronouns

These correspond to the demonstrative adjectives: *this, that, yon (or thon)* (See p.35). The plural forms are, *thir*, thae* and *yon (or thon).* Scots has a demonstrative which is used in preference to *that* or *thae,* in referring to someone or something equally remote from the speaker and the person addressed. For this purpose, it is common to use *yon (or thon).*

Whyles ye see a fox. Dae ye see **yon (thon)** *ower bi the trees?*

Thir is real guid tatties!

A lyke aipils, but *thae* is no verra guid.

Yon is a fek o yowes for the dug ti bring in!

Thaim is used demonstratively.

We hae meat for *thaim* that wants it.

This, that and *yon* are used for *this/that/yon time/place/person.*

A'l hae plenty adae atwein *this* an neist week.

Here! you wi the dug — tak yeirsell oot o *this!*

She's a rael smert bairn, *this!*

It wes the week eftir *that* whan he taen the flu'.

He gaed by the toll an atwein *that* an the Toun Cross he fell in wi Tam.

He's a sleikit yin, *that!*

"Do you ever think of the future, John?"
"Ay Meinister, *yon* wes the days!"

Govan—! Ai, *yon's* an unco place!

Whit a randie, she is, *yon!*

A common reply to the greeting, *It's a fine (or awfu) day,* is: *It is that!*

*The form, *thir,* which still survives in contemporary colloquial Scots, was generally used in Middle Scots, for example, in the intriguing piece, *The Bewteis of the Fute-Ball,* by *Kennawha:*

Brissit brawnis and broken banis, /
Stryfe, discord, and waistis wanis, /
Crookit in eild, syne halt withal—- /
Thir ar the bewteis of the fute-ball.

Relative Pronouns

The relative pronoun for any noun is commonly *that* (or *at),* or *as,* rather than *wha, wham* or *whilk.*

*He needs a lang spuin **that/at** sowps kail wi the Deil.*

*A dout **that/at** puir Jock is for it again the-day.*

*Jennie haes a tung **that/at** wad clip clouts.*

*Aw **as** A hae is thir thrie pennies.*

The relative pronoun is optionally omitted when it is the subject of its clause.

*Wes yon the meinister **(at)** wes here?*

*It's an ill burd **(at)** fyles its ain nest.*

*Thare thon wife **(at)** wes here yestrein, hirplin alang the loan!*

In relation to persons, *wha(e)* is also an option.

*Dae ye mynd yon wee message laddie **wha(e)** wes at the houss door the ither day?*

The words, *wha, wham* or *whilk* are now generally literary options.

*Scots **wha** hae wi Wallace bled. /*
*Scots **wham** Bruce haes aften led.*

Compare the more colloquial: *Scots at haes wi Wallace bled.* There is an idiomatic possessive case formed by adding *his* or *hir,* equivalent to *that* or *at.*

*That's the man **at's** houss wes brunt.*

This has become unusual and the possessive form, *whas (whaes),* is now commonly used.

*Yon's the fallae **whas (whaes)** houss wes brunt doun!*

Reflexive Pronouns

The reflexive pronouns are:

masell	*oorsell(s)*
yeirsell	*yeirsell(s)*
hissell, hirsell, itsell	*thairsell(s)*

31

*A haigilt **masell** up the brae.*

*Please **yeirsell**, an at wul be ae bodie at's pleased.*

*Tho Rona wes never askit ti the pairtie, she never mismade **hirsell**.*

*He haed juist sutten **hissell** doun whan the bell rang.*

*Eftir he left hame, he never bathert **hissell** ti wryte his mither.*

*That wund wul blaw **itsell** oot or the morning.*

*Whyles we juist play **oorsells** at oor wark.*

*Ye'd better besmerten **yeirsell** up for the pairtie.*

*Ye'd better tak **yeirsells** oot o here this meinit!*

*A'm thinking they'l be aw bi **thairsells** the-nicht owerby.*

The word, *himsell,* may be used as an alternative to *hissell.* It is also sometimes used to refer to people seen to be important, such as the head or chief person in any body or institution.

*It wul be for **Himsell** ti say whuther the rent gaes up or no.*

*Whanever Kershopefuit cam on the scene, Jess wad aye gie hir wee bit curtesie — no that **Himsell** ever heeded hir!*

Similarly, *yoursell,* or *yeirsell,* may be used to confer importance.

*Mercie, Drumsheuch, if it's no **Yeirsell**!*

*Cum awa inby, man, an sit **yeirsell** doun!*

Me, ye, *are also used reflexively:*

*A hae juist bocht **me** an aix.*

*Sit **ye** doun!*

Interrogative Pronouns

The interrogative pronouns are: *wha (whae), whas (whaes), what (whit).*

***Wha** wadna fecht for Chairlie?*

Whas *is thir buits?*

What *ails ye at yeir denner?*

What (whit) or *whilk* is used in place of English, *which.*

O the twa, **whit** *wad ye lyke?*

Whilk *o thaim wul ye tak?*

Neivie, neivie, nick-nack! /
Whilk *haund wul ye tak?*

Indefinite Pronouns

Although *ane* (or *yin*) is the direct equivalent in Scots of the impersonal pronoun, *one*, it is seldom used in the Scots equivalent of such sentences as, 'When one ran out of something to say, one just talked about horses.' Hugh MacDiarmid certainly wrote:

Yin canna thowe the cockles o yin's hert.

However, this is a solecism. Nobody would ever say this in Scots. This illustrates that authentic Scots does not necessarily result from literal back-translation from English.

It is better to use the appropriate personal pronoun (*A, we* or *ye*) or *a bodie* instead of *ane* or *yin.*

*Whan **A/we** ran oot o oniething ti say, **A/we** juist spak aboot horses.*

*Whyles **ye** haurlie ken whit ti dae for the best!*

*Whit can **a bodie** dae?*

*Gin **a bodie** meet **a bodie** cummin throu the rye.*

Robert Burns could never have written:

*Gin **yin** meet **yin** cummin throu the rye.*

Ilkane or *ilka ane* is used for each one.

Ilkane *gangs his ain gait.*

Awbodie is used for *everyone* and *oniebodie* for *anyone.*

*Gin **awbodie** is here we can stert the game.*

Onie ither bodie is equivalent to *anyone else* and *nae ither bodie to* no one else.

> *Is **onie ither bodie** for gaun for a dander?*

> *Ir the **onie/nae ither bodie** here wullin ti fecht me?*

Ither is used for 'each other' in English.

> *They baith pat thair heids doun at chairged at **ither** lyke mad buls.*

> *Me an the meinister haes sumthing ti say til **ither.***

They is also employed as an indefinite subject.

> ***They** uised ti hae kinderspiels i the Toun Haw at ae tyme.*

> ***They** ir never duin pittin up the cost o petrol.*

The neuter pronoun, *it*, is sometimes used (usually by children) to refer to babies, who are seen as being of indeterminate sex.

> *Is this ma wee sister? A dinna lyke the look o **it**! Whit is **its** name?*

It is also sometimes used during introductions, even to adults.

> *Mirren, is **it**? A've aye wantit ti meet ye.*

It can be used as a term of abuse in denying the humanity of a person in an indirect address.

> *Sae **it** can speak, can it? A wad lyke ti hear mair. Wul A gie **it** anither clour asyde the heid, dae ye think?*

ADJECTIVES

Demonstrative Adjectives

These are *this, that, yon* (or *thon*). The plural forms are, *thir, thae* and *yon* (or *thon*). *Thir* and *thae* correspond to English 'these' and 'those'. Yon (or *thon*) is used in preference to *that* or *thae* for objects which are relatively remote. These adjectives are used to locate objects in space or to specify time.

*Auld Geordie haes been deid **this** monie a year.*

*A dout **that** dug wul never be richt.*

*Dae ye see **yon** birkie cawed a Lord?*

*She's a street saint an a houss deil, **yon** yin!*

***Thir** days the'r gowks that play at God.*

*In **thae** days ye cuid buy a gey lot for saxpence.*

***Yon** craws is makkin an awfu dirdum!*

*Dae ye see **thon** yowes on the brae face?*

Possessive Adjectives (See Possessive Pronouns p.27-28)

First Person:	*ma*	*oor*
Second Person:	*thy*	yeir/your
Third Person:	*his, hir, its*	*thair*

Ma serks is white aneuch areddies.

Oor Joanne is no blate.

Nou dae **thy** speedy utmaist, Meg!

Wul ye no gie us a tuin on **yeir** fiddle?

Ye'l mebbe git **yeir** heid in yeir haunds ti play wi.

A dout **hir** face is aw hir fortuin.

Thon puir dug haes shuirlie hurt **its** leg?

Thair breid is aye the best i the toun.

These adjectives are used before certain nouns (bed, mother, father, names of meals) where they are omitted in English.

A'm gaun ti **ma** bed.

Ma faither is awa til **his** bed.

Ma mither haes juist feinisht **hir** denner.

Hae ye no haen **yeir** brekfest yit?

These pronoun adjectives are used with *lane(s)*, when they are equivalent to 'alone'.

A wes left aw **ma lane** i the houss.

We war aw **oor lane(s)** yestrein.

Ye soudna be left aw **yeir lane** on yeir birthday.

That nicht, nae lass gaed hame **hir lane**.

A wee stumpie stoussie that canna rin **his lane**.

The neibors wad rather be left **thair lane(s)**.

Interrogative Adjectives

Interrogative Adjectives are: *whatna, whatten, what/whit, whas/ whase*. *Whatna* and *whatten* are reduced forms of *What kynd o?*

"Ai Mercie, **whatna** lyke nicht ootby ti be fliein throu the air!" said the auld wife on hir daith-bed.

Whatna ane wes that?

Whatten a lyke mess!

What/Whit wey wul she be cummin?

Dinna say, 'eh?', say, 'whit?'!

Whas bairn ir ye?

Alternatives to the use of *whas*, are:

Wha is aucht this bairn?

Wha is awe thir buits?

Wha belongs this dug wi the sair leg?

What (whit) is also used in conjunction with a noun in questioning measurement.

What/Whit size is the bairn?

What/Whit wecht is it?

What/Whit hicht is the chaumer?

What/Whit lenth is the lobby?

What *(whit)* may be compounded with *wey* or *lyke*.

Whatwey/Whitwey daes camels hae humfs?

Whatlyke/Whitlyke fettil ir ye in eftir yeir operation?

Adjectives of Degree

These include: *anelie, anerlie, antrin, awfu, fell, gey, ill, ither, mair, monie, mukkil, onie, rare, sair, sum, twa-thrie, unco.*

Ye'r no the **anelie** yin at's sair made!

That's the **anerlie** tyme A ever saw Jennet smert lyke!

Greg uised ti caw on me at **antrin** tymes.

Thare (haes) been an **awfu** rain this whyle back.

The'r nae dout he haes a **fell** tung in his heid.

Puir Tib haes haed a **gey** tyme o't sen hir man dee'd.

It's an **ill** burd that fyles its ain nest.

*Ye'l be lauchin on the **ither** side o yeir face
whan ye hear whit A hae ti tell ye.*

*The'l be nae **mair** liltin at the yowe milkin.*

*The'r no **monie** fowk aboot the-day.*

*Alane she stauns, a **mukkil** kerlin in a fanton tulyie.*

*Gin ye haena **onie** siller, whit ir ye daein in ma shop?*

*The bairns fairlie haed a **rare** tyme at the skuil pairtie.*

*Whyles it's a **sair** fecht for us aw.*

*Whit wi the snaw an the wund, it's been **sum** day.*

*The'r nae mair nor **twa-thrie** auld men i the perk.*

*Ardnamurchan is it? Thon's an **unco** place.*

Predictive Adjectives

Adjectives are described as predicative when they form the complement of verbs such as *be, becum,* or *look.*

*It is a **derk** nicht ootby.*

*The nicht is **derk**.*

*Im A no a **bonnie** fechtar?*

*Jean aye looks as **bonnie** as ever.*

*Tam is a **strang** fallae kis he sowpit his parritch.*

*Tam becam **strang** wi aye sowpin up his parritch.*

Past participles are frequently used predicatively, often as complements to the verb *ti be.* For participles like, *begrutten, behauden, disjaskit, feirt, forfauchilt, forjeskit, sweirt, wabbit,* etc., this may be their only function.

*But och, 'tis sair **begrutten** pryde /
an wersh the wyne o victorie!*

*A'm mukkil **behauden** til ye for the obleigement.*

*A'm thinking a puir **disjaskit** craitur lyke you wad be nane the waur o hangin.*

*Eftir his day's darg rinnin aw day, the collie wes fair **forfauchilt**.*

*Eftir gallopin aw the road frae Cupar, A'm as **forjeskit** as a **forfochen** cock.*

Tho he lookit for his rewaird in Heivin,
*he wes gey **sweirt** ti die i the feinish.*

*A im fair **wabbit** eftir haiglin thae messages up the brae.*

Compound Adjectives

A whole family of adjectives is formed from participles, to give compounds which can function as adjectives. For example:

bou-backit hump-backed	*bowdie-leggit* bow-legged
crabbit-luikin cross-looking	*cruppen-thegither* shrunken
dounhauden held down	*dounhertit* downhearted
gaun aboot vagrant	*greitin-faced* weepy
guid-gaun lively	*hauf-wuttit* half-witted
hen-hertit cowardly	*hen-taed* toes turned in
heuchie-backit hunch-backed	*hingin-luggit* dejected
humfie-backit hump-backed	*ill-duin til* victimised
ill-gien malevolent	*ill-hertit* evil-hearted
jingil-jyntit loose-limbed	*ker-haundit* left-handed
lang-heidit wise	*lang-luggit* eavesdropping
puir-moued depressing	*sair made* offended
shilpit-luikin ill-thriven	*skellie-ee'd* cross-eyed
sleikit-luikin sly-looking	*smaw-boukit* dwarfish
smawlie-made finely made	*soupil-jyntit* supple
splay-fuitit toes turned out	*weill-daein* repectable
wyce-luikin respectable	

*A'd rather be **bowdie-leggit** nor **hen-taed**.*

*A'm fair stiff wi claes the-day, but wi this snell wund, A still feel **cruppen-thegither** wi cauld.*

*She was lyke **jingil-jyntit** an a puir **dounhauden**, **gaun aboot** kynd o bodie.*

*For aw his wife haed a richt ill tung in hir heid, he's been gey **dounhertit** an **puir-moued** sen she dee'd.*

*Div ye think A coud git moved til anither ward, Sister? This fallae in the neist bed is a richt **greitin-faced** auld skunner.*

*The reception at the Blek Bul wes a richt **guid-gaun** affair.*

*Dauvit is mebbe no whit ye wad caw **hauf-wuttit**, but he is whyles a bit o a heid case.*

*Marget's aye been **hen-hertit** an feirt for the day she never saw.*

*That lassie ye'r gaun oot wi is a bit **heuchie-backit**. Nou A wes weill set up whan A wes a lassie.*

*Tam haes been gey **hingin-luggit** sen he wes made redundant.*

*The war aince twa **humfie-backit** men at war freins.*

*Tib wes **sair made** whan A telt hir whit A thocht, but she's aye **ill-duin til**, bi hir wey o't.*

*Fowk at is **skellie-ee'd** is no aye **ill-gien**.*

*It's littil wunner Agg's bairn is **shilpit-luikin**.*

*She's an **ill-hertit** jaud!*

*Aw the Kerrs warna **ker-haundit**.*

*A'm thinking a **lang-heidit** chiel lyke him soud dae weill at the universitie.*

*Juist watch whit ye say! The wyfe neist door is gey **lang luggit**.*

*Even for a lawyer, he was byordnar **sleikit-luikin**.*

*Rona's bairns is aw **smaw-boukit** lyke hirsell.*

*Ma exercise cless aye keeps me **soupil-jynytit**.*

*Malcolm wes **splay-fuitit** whan he was wee,
but they sortit his legs for him.*

*The Brouns war aye kent for a **weill-daein** faimlie.*

*Alastair is a mukkil big **wyce-luikin** fallae.*

Descriptive Adjectives

Descriptive adjectives are often formed by adding suffixes such as *-ie, -lie, -sum, -rif, -fu, -lik, -less, -sell, -lin,* to existing words. (See SUFFIXES p.97.)

*This is a **handie** pair o shears.*

***Heivinlie** Faither, we thenk thee for aw the guid things set oot afore us on this table heid.*

*Spring's a **gledsum** tyme — flouers o everie color!*

*Flaes an girnin wyfes is **waukrif** bedfallaes.*

*Wi mair o horrible an **awfu** that even ti name wad be **unlawfu** ...*

*Bell is no **smertlik** for a shop hand.*

*Bert wes aye **fekless** — ever sen he wes a wee bairn.*

*A'd better tak aff ma shuin or A cum inti the houss. Ma feet is **glaursell**.*

*In the **norlin** gairden, foustit bous liggs haepit.*

Comparative and Superlative Forms

These are normally formed as in English by adding *-er* and *-est.*

bonnie	bonnier	bonniest
braw	brawer	brawest
mukkil	mukkler	mukklest

41

sair	*sairer*	*sairest*
smaw	*smawer*	*smawest*
smert	*smerter*	*smartest*

The adjective, *sum,* is compared irregularly to give:

sum	*mair*	*maist*

Comparative and superlative forms of longer words may be formed by prefacing the adjective with *mair* and *maist.*

carefu	*mair carefu*	*maist carefu*
innerlie	*mair innerlie*	*maist innerlie*
eydent	*mair eydent*	*maist eydent*

Sorley is a mair carefu bairn nor his brither, Andrae.

Andrae is mair innerlie lyke.

Leezie is the maist eydent yin in the haill faimlie.

The following adjectives are compared irregularly:

guid	*better*	*best*
ill	*waur*	*warst*
ceivil	*ceiviller*	*maist ceivil*
lyke	*lyker*	*maist lyke*
walcum	*walcummer*	*maist walcum*
littil	*less*	*laest*
awfu	*mair awfu*	*awfuest*

Better *that bairns soud greit nor baerdit men!*

Ay, ye'r an ill burd, an A'm thinking ye wad be nane the **waur** *o hangin!*

Fowk is **ceiviller** *nou nor langsyne.*

Ye'r **lyker** *a hen on a het girdil as sumbodie gaun ti   be mairrit!*

The **laest** *ye coud dae wad be ti say ye'r vext.*

*Ye'r lang socht for, but aw the **walcummer** for that.*

*This room is the **awfuest** lyke midden!*

A few other superlative forms are noteworthy. For example: *benmaist, buinmaist, foremaist, heidmaist, hinndmaist, hinnermaist, ootermaist, uppermaist.*

*An ye sal hae the **benmaist** neuk at the fyre end.*

*Chairlie wes aye the **buinmaist** i the cless.*

*Robert the Bruce wes the **foremaist** knicht o his day.*

*Oor **hinndmaist** goun haes nae poutches.*

*This is the **hinnermaist** tyme A'l tak snash frae that wumman.*

*Sumbodie is chappin at the **ootermaist** door.*

Certain adjectives may be linked by *an* as an adjectival complement.

*This poutch wul cum in **braw an handie** for ma siller.*

*A'l cum whan A'm **guid an reddie.***

*A dout we'l no leeve ti see it an we'r **spared an weill!***

*Nan'l be **gey an roused** whan she hears aboot that.*

*Yeir faither wad be **gey an littil** pleased gin ye war ti brak yeir leg, Miss Drummond.*

Whan *-an* is appended to *gey*, the result is treated as a word in its own right:

*The wife is whyles **geyan** sherp wi me.*

In literary Scots, the qualified nouns are sometimes understood.

Nou whuther is this a rich man's houss or whuther is it a puir?

An up an crew the reid, reid cock an up an crew the gray.

Numerals

The forms of the cardinal numerals are:

nocht	*therteen*
ane/yin	*fowerteen*
twa/twae	*fifteen*
thrie	*saxteen*
fower	*seivinteen*
five	*echteen*
sax	*nyneteen*
seivin	*twantie*
echt	*fortie*
nyne	*saxtie*
ten	*a hunder*
eleivin	*a thousan*
twal	*a million*

Before nouns, *ae* or *yae* is used adjectivally (i.e. attributively) in preference to *ane/yin*. Note the conjunction of vowels in: *Aw ae oo? Ay, aw ae oo!*

Ae *fond kiss an then we pairtit.*

Wi ae lock o his yalla hair A'l chein ma hert for evermair.

Ae/ yae day ye'l mynd what A said til ye.

It wes naither the ae thing nor the ither.

This may take the form:

It wes naither tae thing nor tither.

Sometimes:

It wes naither the tae thing nor the tither.

The number, *twa* (or *twae*) is sometimes linked to *thrie* to indicate a relatively small number:

A wes rael vext ti see the war nae mair nor twa-thrie fowk at his funeral.

In representing numbers, the unit is sometimes placed before the tens. For example, *seivin an twantie.*

The ordinal numerals are usually formed by adding *-t* to the cardinals, as in *Jamie the Saxt*. For example:

first	*echt*
saicont	*nynt*
third	*tent*
fowert	*eleivint*
fift	*twalt*
saxt	*twantiet*
seivint	*hundert*

We wul nou sing the hunder an seivint psaum!

The terms, *saicont lest, third lest, etc.* are commonly used for last but one, etc.

Other Quantifiers

Some adjectives, such as *aw, baith, ilk, ilka, everie, nae,* specify a particular number or quantity.

*A think verra near **aw** oor freins war thare.*

Aw is found in combination in: *awbodie, awhaur, awthing,* where it has the meaning: *every.* When *baith* functions as an adjective it may follow the nouns or pronouns qualified.

*"Ir ye **baith** cummin ti the meetin?" "Ay, hir an me **baith**."*

The words, *ilk* and *ilka* mean 'each' or 'every'. The form *ilka* is reduced from *ilk ane.*

***Ilk** man bous til the buss that gies him beild.*

*In Scotland, **ilk** ane gangs aye his ain gait.*

***Ilka** burd, pick up a pea an pit doun a feather!*

***Ilka** tyme A think on him a dreid cums round ma hert.*

In the south of Scotland, *nae* is used both as an adjective and to form the negative with auxiliary verbs.

*The'r **nae** dout he haes a fell tung in his heid.*

*The'r **nae** pey for wurkin in the breid van./
Luik at aw the hurls ye gat!*

Telling the Time

As in English, the time of day is defined by stating that it is a quarter-past, half-past or a quarter to a stated hour, e.g. *a quarter ti seivin*. More precisely, it can be defined as a number of minutes past or before a stated hour.

> *It's: echteen meinit(s) past eleivin.*
>
> *five/ten/twantie past ten.*
>
> *eleivin meinit(s) past nyne.*
>
> *twantie-thrie meinit(s) ti twa.*
>
> *afive/ten/twantie ti thrie.*

Also, after each half hour, the time can be defined as a deficit of minutes before the next hour, or a short unspecified period before or after.

> *It wants fower meinits ti sax.*
>
> *It's cummin up ti twal o'clock.*
>
> *It's haurlie fower o'clock.*
>
> *It's fullie fower o'clock.*

Where the time is already known to the nearest half-hour or hour, we can have:

> *It wants no monie meinits til the oor/hauf oor.*
>
> *It's cummin up til the oor/hauf oor.*
>
> *It's haurlie the oor/hauf oor.*
>
> *It's fullie the oor/hauf oor.*

Each half hour used to be indicated by prefixing *hauf* to the following hour. For example *hauf-seivin* meant 6.30. This practice is now obsolescent.

THARE HAES BEEN AN AWFU RAIN THIS WATLE BACK!

VERBAL FORMS

Infinitive

The infinitive designates the root of a verb without reference to persons, number or tense. With regular verbs the root form is retained in the past tense. With irregular verbs, the form of the root may change in the past tense. A list of irregular verbs indicating these changes is given on pages 103-108.

Where a verb in the infinitive expresses intent or purpose, it may be prefaced by *for.*

> *Gregor is cummin owre the morn's mornin for ti help me wi the flittin.*

> *That tapcoat wul be a richt guid hap this wunter for ti keep oot the cauld.*

Present Indicative

Present indicative of verb *ti stravaig.*

A stravaig	*we/oo* stravaig*
thou stravaigs	*ye stravaig*
he stravaigs	*they stravaig*

*form associated with south Scotland.

Present Participles

The present participle is normally formed by adding *-in* to the infinitive. Thus we have: *be-in, daein, follaein, gaein, giein, haein, blawin, cawin, fawin, graenin, hurlin, plowterin, reddin, staupin, thraetenin, waukenin, etc.* A notable exception is the verb, *ti gaun*, which remains unchanged.

A distinction was made in Middle Scots between present participles, which were formed by adding *-an* or *-and* to the infinitive, and verbal nouns which ended with *-in*. This distinction was revived in writing under the influence of the Scots Style Sheet which appeared in 1947, but this practice is now becoming uncommon, since it seems to serve no useful purpose.

In forming the present participles of verbs ending in *-il, such as, ettil, hirpil, warsil, i* may be dropped to give: *ettlin, hirplin, etc.*

The root verb is sometimes repeated with present participles for emphasis.

> *What A dinna lyke aboot Ellie is that she's aye whusper-whusperin ahint fowks' backs an beckin an beingin ti thair faces.*

> *A dout Murray is dottilt gittin. Whanever A set een on him he is aye mummil-mummilin awa til hissell.*

Verbal Nouns (Gerunds)

The ending, *-in,* is also used for verbal nouns. For example: *biggin, bygaein, dounsittin, flittin, flytin, skelpit-letherin, lounderin, spittin, waddin, wooin, etc.*

> *Madge Broun bade in an auld cley **biggin** doun bi the wattirsyde.*

> *Ye coud gang in an pey Gran a veisit i the **bygaein**.*

> *He feinisht fower plates o kail at the ae **dounsittin**.*

> *It's a awfu hatter aye, a **flittin**!*

> *Yon bairn is warkin on for a skelpit-**letherin**.*

*Aggie wad whyles gie hir bairns a richt **lounderin** for naething at aw—juist kis she felt lyke daein it.*

*It aye gars me grue ti see a **spittin** on the pavement.*

*Ye'l dae fine for an ootsyde **waddin.***

Bytin** an **skartin** is Scots fowk's **wooin.

Present participles may be used adjectivally to form qualified nouns. For example: *greitin-meetin, killin-houss, lauchin-turn, ludgin-houss, fechtin-laid, rinnin-laid, settlin-gress*, etc.

*They're haudin the **greitin-meetin** at the Toun Haw the morn's forenicht.*

Past Tense and Past Participles

The past tense and past participles of weak verbs are formed by adding *-it, -t, -ed* or *-d* to the infinitive.

Verbs ending in *-b, -d, -g, -k, -p,* and *-t* add *-it*. For example:

beb	*bebbit*	*bebbit*
synd	*syndit*	*syndit*
bigg	*biggit*	*biggit*
howk	*howkit*	*howkit*
rowp	*rowpit*	*rowpit*
veisit	*veisitit*	*veisitit*
pairt	*pairtit*	*pairtit*

Verbs ending in *-el, -il, -en, -er, -il, -ch, -sh, -ss, -f* and *-x*, usually add *-t*. For example:

traivel	*traivelt*	*traivelt*
fessen	*fessent*	*fessent*
founder	*foundert*	*foundert*
hirpil	*hirpilt*	*hirpilt*
lauch	*laucht*	*laucht*
fash	*fasht*	*fasht*
bliss	*blisst*	*blisst*

49

humf	*humft*	*humft*
rax	*raxt*	*raxt*

Other verbs normally add -*ed.* For example:

beil	*beiled*	*beiled*
birl	*birled*	*birled*
girn	*girned*	*girned*
kaim	*kaimed*	*kaimed*
graen	*graened*	*graened*
hain	*hained*	*hained*
pou	*poued*	*poued*
spier	*spiered*	*spiered*
caw	*cawed*	*cawed*

When the infinitive ends in silent -*e, -d,* is added. For example: *breinged, chowed, cryned, deived, follaed, loued, sterved, stroned, etc.*

For verbs ending in -*ie, -e* is dropped and -*t* is added. For example, cairrit, herrit, mairrit.

The ending -*en* is used to form past participles. For example:

gae	*gaed*	*gaen*
gie	*gied*	*gien*
hae	*haed*	*haen*

Note the form, *sutten doun,* meaning 'seated'.

A wes haurlie richt sutten doun or she quarrelt me.

Some verbs have survived only as past participles and are used as predicative adjectives. For example, *begrutten, behauden, disjaskit, dounhauden, forfauchilt, forfochen* and *forjeskit.* (See p.38).

Past and present participles sometimes follow the verb *ti need.*

Ma hair needs **washt (washin).**

The front grass needs cut (cuttin).

Perfect

The perfect tense is formed using the auxiliary verb, *ti hae* with a past participle.

*A dout he **haes left** his siller again in his ither breiks.*

*Our keing **haes wrutten** a braid letter, an **sealed** it wi his haund.*

Imperfect

An imperfect tense may be formed by inserting *uised* or *uist* before the infinitive, without reference to person or number.

*A/we/ye/they **uised/uist** ti byde here.*

The word *uised* is also used normally as a main verb in the sense of being accustomed.

*A'm no **uised** wi monie tatties for ma denner.*

Future

In forming the future tenses, *wul* is generally used with all persons and numbers. *Sal* is available as a formal form with all persons and numbers.

*They **wul** stravaig.*

They wul hae stravaigit.

*A **sal** stravaig.*

*Ye **wul** hae haen/haed yeir tea?*

*Aw ingethert siller **sal** be uised for the objeks o the Societie.*

In the abbreviated forms of *wul* and *sal*, a single *-l* is obviously sufficient.

*A daursay **ye'l** hae haed yeir tea?*

Sometimes *wul* is used in response to a perception that an event is probably happening in the present.

*That **wul** be the post at the door.*

*Yon **wul** be the eleivin o'clock train A'm hearin.*

*That **wul** be Mistress Amos skellochin at hir man again.*

*Yon **wul** be the Provost himsell in his offeicial car!*

***This'l** be the Polis anent the lum be-in on haud.*

Progressive Forms

The progressive form of the verb is common with a range of verbs concerned with mental activity, such as, *dout, forget, hear, jalouse, ken, mynd, think* and *want*. This is formed from the verb *ti* be and the present participle.

*Jean, A'm **doutin** A hae lockjaw!*

*Ye'd be **forgettin** yeir heid if it wes lowss.*

*We war **hearin** ye war late for the skuil this mornin.*

*A wes **wunnerin** if oniebodie wes seein ye hame?*

*Ye'l be **myndin** it's yeir sister's birthday the-morn?*

*A'm **thinking** he'l be nane the waur o hangin.*

The free use of the progressive form is particularly associated with Highland speech.

*We wass **lyin** at Oban at the time, the 'Clansman's' enchines **needin sortin,** sae A sent for Mary tae Tobermory, an her an me gaed in a cab. A never saw her **looking** sae weill.*

*When A wul be **seein** a bad man **greitin**, A wul aye be **snekkin** up ma sporran.*

*Dougie an me wass chust **wantin** a wee len o a canary for a day or twa, but **seein** ye'r sae thrang, we'l chust be **tryin** the shops.*

*As soon as we landit in Tobermory, there wad Mary be **staunin** on the quay waitin, her golden curls **blawin** in the wund, an pig Shon wad push past me to the gangwey—me his superior officer too—to be **greetin** her first.*

This form occurs in the narrative present commonly used in colloquial speech:

*Here im A **daunerin** alang the Kirk Wynd, **myndin** ma ain business, whan wha soud A meet but auld Miss Gibson, the skuil teacher. Sae A tells hir strecht, "Whit ir they **peyin** ye for? Yeir skuil is haurlie ever open thir days."*

Irregular Verbs

Note that the verb *ti gang* has no past tense, that the present participle, *gangin* is seldom used and has been virtually replaced by the word, *gaun*.

*A **gangin** fuit is aye gittin.*

The verb *ti gaun* also lacks a past tense, but its present participle is often used.

*Ir ye **gaun** inti the toun for the messages?*

*We'r no **gaun** for aw.*

It is possible to use three different verbs meaning *go (gae, gaun, gang)*, within the same sentences, to give a variety of combinations.

We'r no gaein ti gae oot/ti gaun oot/ti gang oot.

We'r no gaun ti gae oot/ti gaun oot/ti gang oot.

Further combinations are possible when north-east forms of *gang*, such as *gyang* or *ging* are used.

The past tense of verbs meaning *to go* is covered by the verb *ti gae*.

*We hae been freins sen we **gaed** as laddies til the auld skuil at the birks.*

Note that the verb *ti redd* is invariable.

*It's tyme that gairden shed wes **redd** oot.*

*Did A no **redd** up this garage the ither day?*

The verb *ti wad* may also be invariable.

*Mak shuir ye **wad** sumbodie oot a guid nest!*

*The day A **wad/waddit** yeir grannie, she wes the bonniest bryde ye ever saw.*

A number of verbs, such as, *awe, bigg, blaw, cleik, creep, ding, grup, ryve, shyne, shyte, sweir* and *thraw* may have weak and strong variants. For example:

> *The war a wee moussie an it coudna finnd a houssie an it* **creepit** *up here.*

> *Fergus wes gey hingin-luggit lyke whan he* **crep** *inti the houss at fower i the mornin.*

A list of irregular verbs, together with past tense and past participles is given on p.103.

Positioning of Participles to Indicate a Change of State

The verb *ti becum* tends to be avoided in Scots. Changes of state may be indicated by positioning the participles after the complement.

> *It's rael cauld* **gittin**, *ootby.*

> *In hir auld age Mey's gey dwaiblie* **gotten**.

> *Eftir the cauld spell the trees is broun* **gaun**.

> *Thir days ye'r richt crabbit* **turnt**.

> *This whyle back, ma Auntie Jessie haes gotten richt stout* **growne**.

> *A dout ye'r ferr ower wyce* **cum**, *for yeir ain guid.*

Auxilliary Verbs

Common auxiliary verbs are: *ti be, ti hae, ti dae, can, maun, sal, wul, daur.*

Verb *ti be:*

Present Tense		Past Tense	
A im	*we/oo* ir*	*A wes*	*we/oo* war*
thou is	*ye ir*	*thou wes*	*ye war*
he is	*they ir*	*he wes*	*they war*

The elided form of *ir* is *'r*.

> *We irna fou,* **we'r** *nae that fou!*

Verb *ti hae:*

Present tense		Past tense	
A hae	*we/oo* hae*	*A haed*	*we/oo* haed*
thou haes	*ye hae*	*thou haed*	*ye haed*
he haes	*they hae*	*he haed*	*they haed*

*form associated with south Scotland.

Note that the verb, *ti hae*, takes the unstressed form, *a*, following auxiliaries such as *coud, haed, micht, soud* and *wad.*

*Ye coud **a** telt me afore at ye war cumin.*

*Gin it haed **a** been me, A wad **a** taen hir bi the neb.*

*Ye micht **a** smertent yeirsell up for the pairtie.*

*He soud **a** brocht mair siller wi him.*

*A wad **a** brocht ma umberellae wi me an A'd kent it wes gaun ti rain.*

Unstressed *a* is easily elided in various constructions and may be dropped altogether after *soud* and *wad.*

A think A wad raither made the denner masell.

Ye soudna brocht the dug wi ye!

O Tibbie, A hae seen the day/ ye wadna been sae shy.

Wumman, ye soudna duin the fluir afore it wes richt wantin it!

The verb, *hae*, may also be understood (and dropped) in the perfect tense of the verb *ti be.*

Mercie, A (hae) been inby ma lane aw day!

Whaur (hae) ye been aw this tyme?

"Whit (hae) ye been daein wi yeirsell the-nicht?"
"A (hae) been sittin here daein ma hame lessons."

In the idiom *haed better, haed* is sometimes omitted.

Ye (haed) better mynd yeir mainners at the pairtie!

A (haed) better git a stert made wi the denner.

The verb, *ti hae,* may also be omitted in the construction, *thare haes:*

> *"Thare (haes) been an awfu rain this whyle back," says the speug til the jekdaw.*

> *"Whan it clears ye'l git yeir style back—be nae mair a droukit craw."*

The expression, *haed mukkil need,* is equivalent to *haed better.*

> *Ye'd **mukkil need** mynd yeir mainners!*

> *Ye'd **mukkil need** study whan ye gang ti the universitie.*

Verb *ti dae:*

Present Tense		Past Tense	
A dae/div	*we/oo* dae/div*	*A did*	*we/oo* did*
thou daes	*ye dae/div*	*thou did*	*ye did*
he daes	*they dae/div*	*he did*	*they did*

*form associated with south Scotland.

On the analogy of *hae, hiv,* the form *div* may be used instead of *dae,* in the negative or interrogative, or to confer emphasis.

> *"**Div** ye/ee no think the Queen looks rael braw in yon yallae ootfit?" "Na, A **divna** think it suits hir!"*

> *A **div** sae lyke aipil tairts! A **div**! A **div**!*

The verb *ti dae* may be used to cover a wide range of activities where a more explicit verb is understood.
(See Core Verbs, p. 59)

> *"Nou whatfor", ma grannie says,/*
> *"wad A ettil ti gang til the muin?*
> *A hae the messages to **dae**, this eftirnuin."*

> *Whan the sangstars ir **duin**, the quaiet cums in.*

> *Whan ye'r **duin** wi yeir denner ye can juist **dae** the dishes.*

*Eftir ye/ee **dae** the fluir an the washin, ye can **dae** up the bed ben the houss.*

*Meg **daes** the denner, but hir auld mither aye **daes** the tatties. It's aw she's able for.*

*Tib's man **daes** the gairden — oniewey he **daes** the gress whyles.*

*Ai, A div lyke the wey ye **dae** yeir hair!*

*A canna be **daein** wi Mirren an hir wey o **daein**.*

*Coud ye/ee **dae** wi an egg for yeir tea?*

*A coud fairlie **dae** a mutton pie.*

Other auxiliary verbs are conjugated as follows:

Present:	can	maun	may	sal	wul
Past:	coud/cuid		micht	soud	wad

The verb, *can*, is used more extensively than in English.

*A dout we wul no **can** be reddie in tyme.*

*Wi his sair fuit, he wad never **coud** clim yon stairs.*

The participle, *cannin*, meaning, *being able to,* occurs occasionally. For example:

*Ir ye greitin, son, at no **cannin** git a hurl?*

The verb *maun* has no past tense.

*We **maun** pit a stout hert til a stey brae.*

Note that *may* is avoided in Scots and that *can* and *coud* cover both permission and possibility.

*Ye **can** cum in an veisit me whyles.*

***Can** ye rax me ower a scone?*

***Coud** A help/**Coud** A be helpin ye wi the denner?*

*Nou ma stammik is better, A **coud** manage sum kail.*

Micht is usually associated with possibility.

*If it's a braw mornin A **micht** hae a bit dander.*

The verb, *ti daur,* usually operates as an auxiliary.

   *Wha **daur** middil wi me?*

But *daur* may function as a main verb following an auxiliary.

   *An A war in your shuin, A wadna **daur** (dae that).*

While the auxiliary verbs *maun* and *wul* usually precede main verbs, they are sometimes used in the absence of verbs (usually *gae* or *gang*), when the presence of the verb is understood.

   *He that **wul** ti Cupar, maun ti Cupar.*

   *A **wul** awa til the Kirk.*

   *We **maun** awa doun the brae!*

   *A **wul** ower an see ma Grannie eftir ma denner.*

   *We **maun** up an awa wi the laiverok!*

   *We **wul** up an gie thaim a blaw, a blaw.*

Auxiliary verbs are used in conjunction with *sae* to avoid repetition of statements already made.

   "Shuirlie ye canna eat onie mair ice cream?"/
   "A can sae!"

   "A dinna think ye soud see yon man again."/
   "A wul sae!"

   "Ye dinna look yeir best wi yeir hair duin lyke that."/
   "A div sae!"

Auxiliary verbs may be used in a 'tag', reiterating the subject and verb, starting with *sae* or *naither,* at the end of sentences. When an auxiliary verb is present, it is repeated in the tag. Otherwise, the verb *ti dae* is employed. This practice is common in Ulster Scots and in colloquial speech in the west of Scotland.

   *Oor teacher is aye in bad fettil on Monday mornins, **sae***
   she is.

   An that bairn gies me onie mair impiddence, A'l skelp his
   *lugs for him, **sae A wul.***

   *Gin A askit hir oot, she'd juist lauch at me, **sae she wad.***

*Elspeth's no at hame, **naither she is.***

*The dug haesna etten his denner, **naither he haes.***

*Whan he sees me cummin, he aye rins awa, **sae he daes.***

*Mirren never invytes me in, **naither she daes.***

Another serial verb which comes before main verbs is, *gar* meaning *compel*.

*A dout it wad **gar** me grue ti eat a puddok.*

Core Verbs

There is a general tendency in Scots (and this survives in Ulster Scots[16]) to use a small number of core verbs with verbal nouns to convey more explicit meanings. In many instances in English, the full verb form would be preferred. Verbs such as, *be, dae, gae, gie, hae, mak, pit* and *tak* are commonly used for this purpose.

For example, we have:

*The kettle is no on/throu **the byle** yit.*
The kettle is not boiling yet.

*Duncan is in for a **douk** in the sea.*
Duncan is bathing in the sea.

*That fluir cuid be daein wi **a scrub.***
That floor needs to be scrubbed.

*Tam has gaen for **a soum.***
Tom has gone swimming

*A'm behauden ti ye for daein me **an obleigement.***
Thank you for obliging me.

*Rorie's mither gied him **a clour** asyde the heid.*
Rory's mother hit him on the head.

*A maun gie ma heid **a kaim.***
I must comb my hair.

*Cum awa inby an gie iz yeir **crak!***
Cum in and chat with me!

*The dug gied Dod a richt sair **snak** on the airm.*
The dog bit George severely on the arm.

*Sorley gied him a guid **skelp** on the lug.*
Sorley slapped him hard on the ear.

*His mither gied the bairn's face **a dicht**.*
His mother wiped the child's face.

*Wul ye gie Alastair **a cry**?*
Will you call Alastair?

*Wul Ailie gie me **a daunce**, dae ye think?*
Do you think Ailie will dance with me?

*Wad ye gie me **a len** o yeir pincil?*
Would you lend me your pencil?

*A wul gie Shona **a look** in, the-morn's mornin.*
I will look in on Shona tomorrow morning.

*Can A hae **a haud** o the bairn?*
Would you let me hold the baby?

*Hae ye made **a veisit** til the dentist yit?*
Have you visited the dentist yet?

*Elliot haesna pitten in **an appearance** yit.*
Elliot hasn't appeared yet.

*Dinna you try ti pit **the blame** on me!*
Don't try to blame me!

*Ian haes been ti the meinister ti pit in **the cries**.*
Ian has been to the minister to cry the banns.

*A think A'l tak **a dauner** up the brae the-day.*
I think I'll stroll up the hill today.

The range of expression of a number of core verbs, such as *cum, gie, git, lat* and *tak* can be idiomatically extended by using them in conjunction with prepositions to cover specific meanings. For example:

cum oot wi, to express

cum ower, to affect (*A dinna ken whit cam ower me*)
cum roond, to recover
gie in, to submit
git aff, to finish work
git on, to agree (*Agg an me haes never gotten on*)
lat on, to tell (*Dinna you lat on A telt ye!*)
lat up, to abate (*The wund never lat up aw nicht*)
lat doun, to lengthen (*A think A'l lat doun thir breiks*)
lat in, to leak (*Ma buits is lattin in*)
tak eftir, to resemble (*He taks eftir his faither*)
tak up, to shorten (*A think A'l tak up this skirt*)
tak up wi, to befriend
pit doun for, to register
pit in for, to apply for
pit on, to pretend (*She pits on she's Inglish*)
pit up, to accommodate
pit up wi, to tolerate
pit oot, to offend (*She wes a bit pit oot*)

Negative Forms

Use -*na* (or *nae*), equivalent to English 'not', affixed to auxiliary verbs. *Thus, canna, coudna, daurna, haedna, haena, haesna, latna, isna, maunna, michtna, needna, soudna, wadna, wesna, etc.*

Ailie **canna** *gae inti the ceimeterie i the derk.*

The meinister kissed the fiddler's wife an **coudna** *sleep for thinking o't.*

A **daurna** *think whit micht hae happent ti Neil.*

They **haedna** *been a week frae hir, whan wurd cam til the carlin wife, his sons she'd never see.*

Whyles A think ye **haena** *the sense ye war born wi.*

The elephant **haesna** *onie taes!*

Latna *the plou staun for ti kill a mouss!*

It **isna** *ordnar wattir A draw frae the Wal at the Warld's End.*

*We **maunna** think ower mukkil aboot it!*

*Pheme **michtna** cum nou or the Setterday.*

*Ye **needna** fash yeirsell aboot it onie mair.*

*Ian **soudna** be here for a wee whylie yit.*

*A **wadna** gie a button for hir!*

*It **wesna** his wyte he wes beddit sae late, an him wi sae mukkil ti dae.*

Some of these combinations take special forms like, *binna (bena), dinna (daena), disna (daesna), sanna (salna), winna (wulna).*

*A wadna gang in thare **binna** ye hae a ful poutch!*

***Dinna** say 'eh'! Say 'whit'!*

*It **disna** maitter whit ye say, A'm gaun ti mairrie him.*

*She **sanna** want a man for want o gear.*

*Wi a bairn it **winna** be, wi a wife it **winna** grie, wi a man it **winna** die!*

The expression, *didna uised ti* is often used for the negative of *uised ti.*

*A **didna uised** ti think A coud spell lang wurds.*

Occasionally, *-na* may be attached to monosyllabic main verbs, but this is a literary feature which is no longer colloquial.

*A **uisedna** ti cum hame this road.*

*A **carena** whit ye think—A ken whit A'm sayin.*

*The wund-blawn flouers **clauchtsna** the tree.*

*The Laird **cumsna** here aften.*

*A **doutna,** whyles, but thou may thieve.*

*Sae may a lass greit gin she **finndsna** a man that winna leave hir or hir hair is whyte.*

*Stickin **gangsna** bi strenth but bi gydin the gullie.*

*The'r men in this warld at **giesna** a winnilstrae for aw
mankynd.*

*The stound that maks ma dule mair deep is that ye **kenna**
whan A greit.*

*We **thinkna** o the lang Scots myles.*

*But **thinkna** ye ma hert wes sair, /
whan A laid the moul on his yalla hair?*

Note that the words *docht* and *durst*, which represent the Past
Tense of *dow* and *daur,* are normally used only in the negative.

*Ma legs wes that waek A **dochtna** ryse oot ma chair.*

*A **durstna** gang ower the door in wather lyke this.*

The negative may be constructed by using the negative particle,
no (*nae* in north-east Scotland) with the verb *ti be* in direct
statements. Since this form can take stress, it provides an
emphatic alternative to appending *-na* to the verb.

*The loudest bummer is **no/nae** (isna) aye the best bee!*

*Mercie, lassie, it's **no** (isna) cawed the Toe Brig — it's the
Tay Brig.*

*His ferm, Nether Berns, was **no** (wesna) mukkil wurth.*

*A dout we wul **no** (winna) can be ready in tyme.*

*Ye ir **no** (irna) cummin an that's final!*

The word, *no,* (*nae* in north-east Scotland) is used in place of
-na, in the interrogative with auxiliary verbs.

*Did ye **no/nae** ken Geordie is **no/nae** Nian's brither? He's
hir bydie-in.*

*Wul ye **no/nae** cum back again?*

*Ir ye **no/nae** oot that bed yit?*

*Can ye **no/nae** dae whit A tell ye?*

In imperative statements, *no* is commonly used instead of *dinna*
after certain verbs.

*Mynd an **no** (dinna) be late for the skuil! See an **no** (dinna) sleep in the-morn!*

*Watch an **no** (dinna) faw doun thae holes!*

*Ye'd better dae as ye'r telt an **no** (dinna) speak back!*

The pronoun *nane* can be used to confer negative emphasis.

*She fancies she can sing, but she can sing **nane**.*

As in Spanish, double negatives are not uncommon in Scots.

*A dout we **canna** mak **nae** mair o't.*

*A **canna** see **nae** ferlie, Ma!*

*Bi hir wey o't, A **canna dae naething** richt.*

Never is used in Scots to imply negation for a period of time, as in, *He never lat bug. Never heed him! Never draw the dirk whan A dunt wul dae!*

It can also mean:

(a) not yet:

*Ir ye **never** oot that bed?*

(b) certainly not:

*Whatever ye think, A **never** did it!*

(c) surely not:

*Man, ye'r **never** gaun ti jouk past me athout speakin!*

Interrogative Forms

General interrogation is conveyed by inversion of subject and auxiliary.

*An **ir ye** shuir the news is true?/*
*An **dae ye** say he's weill?/*
***Is this** a tyme ti speak o wark?*

***Hae ye** no seen me in wund an weit?/*
***Hae ye** no seen me in snaw an sleet?/*
Maist lyke a man asklent the sky;/
But a mock for bairns as they gang by.

64

Can ye sew cushions?

O whaurfor **soud A** busk ma heid?

What **wul A** dae if A die an auld maid in a garret?

With some verbs there is inversion of a main verb and subject.

What **think ye**? What **say ye**?

Thinkna ye ma hert wes wae whan A turnt aboot awa ti gae?

Sometimes it is seen to be polite to make a request in the form of a direct negative statement implying that the request is too presumptuous to be met. For example:

Ye wadna be sae guid as ti rax me the breid?

Ye wadna lyke ti pit a licht ti that fire for me?

Ye coudna see yeir wey ti gie me the price o a cup o tea?

Imperatives

These are formed from main verbs without a subject, as in English.

Allou me ti ken, Wumman, whit's in ma ain shop!

Aye **tell** the teacher the truith!

Besmerten yeirsell up a bit!

Buy ma caller herrin new drawn frae the Forth.

Caw cannie nou, wi that blinnd!

Feed it the mair an the mair it wul eat! **Slokken** its drouth an it staws at its meat!

Gang doun wi a sang, **gang** doun!

The conjunction *an* is often used to link verbs of instruction with main verbs. For example:

Be shuir an tell the maister ye war no weill yesterday!

Mynd an mynd yeir mainners at the pairtie!

See an speak proper til the meinister/teacher/sheriff!

Tak care an no loss *yeir ticket!*

Watch an snek *the ooter door ahint ye!*

But the verb, *ti dae,* is not normally used with main verbs in affirmative imperative statements. Compare with English, *Do sit down! Do have another canapé! Please do!* It would be absurd to say, *Please dae!* or *Please div hae anither scone!* in Scots.

The form, *dinna* may be used to support the main verb in negative imperative statements.

Dinna be *haurd on Weelum McLure, for he's no been haurd wi oniebodie in Drumtochtie!*

Dinna bather *yeir faither whan he's haein his bit sleep!*

As in older English, subject pronouns are often retained in the imperative: *Come ye to Bethlehem!*

Dinna **you** *fash!*

Mynd (an) **you** *wash ahint yeir lugs!*

Cum **you** *ben the houss wi me!*

Dinna **you** *daur speak back ti me!*

Nou Faither, juist **you** *haud yeir tung!*

Never **you** *heed him, Son!*

You *keep a ceivil tung in yeir heid!*

Juist **you** *gang ti sleep, nou!*

Nou sit **ye** *bi the fyre,/*
Bi the warm herthstane;/
Turn **ye** *yeir face til mynes,/*
Dochter o ma ain!

Personified nouns may also be retained as in English.

Blaw saft, blaw saft, ye **westlin wunds,** *amang the leafy trees!*

Haud forrit, **Scotland!**

In imperative statements, a verb meaning *to go* may be replaced by *awa* or *up*.

Awa doun the stair an pit oot the bucket!

Up an awa wi the laivorok!

Owing and Owning

The equivalent to the English verb to *owe* in Scots is *ti awe*, but this has the double meaning of *owing* and *owning*. Thus we have:

Yon same Mistress Broun awes me a favor.

A'm awin him a tenner.

Wha's awe this bairn?   (Who owns this child?)

Wha wes awe this houss afore ye bocht it?

The verb *aucht* may also mean *owing*, or *owning*.

A aucht him a guid pikkil siller.

Gie it back ti thaim that's aucht it!

Wha is aucht this braw buik?

The verb *ti belang* has a similar double role:

A believe he belangs Blairgowrie or thareaboots.

Wha belangs thir bauchilt buits?

Verbs followed by 'on'

A few verbs, such as *clype, cry, lounder, mairrie, mynd, tell, think, wait, work, yoke,* now differ from English equivalents in sometimes being followed by *on*.

Seumas clypit on me til the skuilmaister.

Wul ye gae cry on Steenie ti cum in for his tea?

Whatfor is aw this shame loundert on ma heid?

Naebodie wad want ti be mairrit on a puddok.

Whan ye hear that tuin, ye wul mynd on yeir faither.

*Please dinna **tell on** me ti the maister!*

*Juist you **think on** whit A said!*

*Ae day, ye'l **think back on** whit A'm telling ye nou.*

*Wul ye **wait on** me here or A dae the messages?*

*A dout ye'r **wurkin on** for anither lounderin.*

*The bank manager **yokit on** him anent his account.*

*Elick lowpit oot frae ahint a heidstane an **yokit on** him in the kirkyaird for kissin his guidwyfe.*

The Verb *ti dout*

The meaning of this verb may be extended in Scots to imply an unfortunate probability.

Ai, A dout we ir in for mair snaw the-morn.

A dout ye hae gotten a richt dose o the byle.

Ye say the operation wes a success! Man, A dout ye hae killed hir!

The verbs *ti gar*

This means 'to make' specifically in a causal sense.

*The sicht in Lib's kitchen wes aneuch tae **gar** ye grue.*

*He screwed the pipesand **gart** thaim skirl.*

The verbs *ti quarrel* and *middil*

Unlike their English cognates, these verbs can take a direct object.

Miss Pringle quarrelt him for be-in late for the skuil.

A wadna middil the wesps' bink, an ye ken whit's guid for ye!

The verb *ti lowse* and *ti loss*

The verb *ti lowse* means to loosen or release, and *lowsin tyme*, the time to unyoke farm horses, is now sometimes used to mean the end of the day's work more generally.

Ti bi lowsed can also signify a calamity.

> *A dout we'r lowsed nou.*
> *A hae lost ma passport!*

The verb, *lowse* is sometime confused with the adjective, *lowss*, as in *Yeir lace is lowss!* The verb, *ti loss* means to lose.

> *The'r a mouss lowss about this houss!*

> *Ye'd loss yeir heid gin it war lowss.*

Verb Concord

In the Present Tense, when the subject is a noun or relative pronoun, or when the verb and subject are separated by a clause, the verb takes the ending -*s* in all persons. This is a historic feature of Scots which is not always observed by writers, although it survives in speech.

> *Auld men **dees** an bairns suin **forgets**.*

> *As the days **lenthens** the cauld **strenthens**.*

> *What fowk **disna** ken, disna rouse thaim.*

> *Budgies **lykes** a pikkil green meat alang wi thair seed.*

> *His hert is in a flame for ti meet his bonnie lassie, whan the kye **cums** hame.*

> *Weans that **gits** taiblet **gits** eyl eftir.*

> *Fowk at **cums** unbidden, **sits** unserred.*

> *Awbodie wi a polisman for a faither, **haesna** big feet.*

This does not apply when the subject is a personal pronoun immediately adjacent to the verb. Thus:

> *A **cum** first; it's me at cums first.*

> *We **gang** thare; us twae whyles gangs thare.*

> *They **rin** awa frae the dug kis they ir feart for it.*

With the verb, *ti be* in the Present and Past Tense, a form identical with the 3rd person singular is used in the plural in the absence of a personal pronoun subject.

*The nichts **is** fairlie drawin in.*

*Bairns **is** easie pleased.*

*Vermin **is** ill ti thole.*

*The men **wes** tyauvin awa, an they **war** aw daein thair best.*

Where collective nouns like *brose, parritch, soup, sowens* and *semolina* are treated as plurals, the following become interesting options:

*Thir soup **is** unco wersh.*

*Thae parritch **is** ower het.*

*Thae semolina **wes** rare.*

Impersonal Usage

The following expressions, which are evidently derived from Scandinavian antecedents, are found in speech, but are seldom found in literary Scots.

The'r is used for English 'there is' and 'there are'. (cf. Shetlandic *der, de'r* or *dir: De'r no mukkil room i da kirk whan da minister canna win in!* Norwegian *det er*).

***The'r** a poke o pan draps on the drawers' heid.*

***The'r** an awful tramps aboot thir days.*

***The'r** soor slaes on Atholl braes. /*
Cam ye by Killiecrankie, O?

The'r is evidently a contraction from *the ir,* which occasionally appears in unelided form:

"A dout the'r nae jeilie left in this jaur!"

*"Naither **the ir!**"*

It also occurs in the environmental proverb:

*Whaur **the'r** fishin for awbodie **the'r** fishin for naebodie.*

The corresponding interrogative form is *ir the?*

***Ir the** oniebodie hame the-day?*

Ir the nae spuins on the table heid?

Ir the ti be nae peace in this houss?

The war is used for English 'there was' and 'there were'. (cf. Shetlandic *dey wir,* Norwegian *det war).*

The war an auld bodie at the door whan ye war oot.

The war aye twa-thrie tykes hingin aboot the steidin.

The corresponding interrogative is *war the*?

War the no a Kerr bade aince the ferr side the glebe?

War the no sheep hirsilt i this field at yae tyme?

The usage is extended to other tenses. *The wul* or *the'l* is used for English 'there will'. (cf. Shetlandic *de'll*).

"A think **the wul (the'l)** be fancie breid at the pairtie".

"**Wul the** be jeilie anaw?"

In the perfect, we have: *the'r been.*

"**The'r been** an awfu rain this whyle back!" says the speug til the droukit craw.

The corresponding interrogative form is, *Ir the been?*

Ir the been oniebodie at the houss door whyle A wes oot?

The wad is the conditional form. (cf. Shetlandic *dey wid)*

The wad hae been a sicht mair fowk here haed they kent ye war cummin.

Wad the nou, dae ye think?

Demonstrative Forms

Thare, thon, yon and *thonder* are used demonstratively for English, 'there is' and 'there are', when the verb *ti be* may be omitted.

Thare (is) the Perth bus ower thare/yonder!

Thare (is/ir) the cuddies ower thare!

71

When the objects are relatively remote, *yon yonder, thon* or *thonder* can be used.

Yon/thon *(is) the fox ower yonder/thonder!*

Yon/thon *(is/ir) the laird's kye ower yonder/thonder!*

Thonder *the dug ower yonder/thonder ahint the yowes!*

Here is used demonstratively for English, 'here is' and 'here are'.

Here *(is) ma skuil bag, here!*

Here *(is/ir) aw the speugs again eftir the breid ye pat oot!*

ADVERBS

Many adverbs are derived from related adjectives by appending *-lie*, for example: *blythlie, bonnilie, brawlie, fairlie, haur(d)lie, hamelie, heivinlie, hertilie, innerlie, maistlie, puirlie, slawlie, sleikitlie, smertlie, steivelie, stranglie, uncolie, wantonlie.*

> *Jamie the Saxt **blythlie** taen his Court ti Lunnon wi him.*

> *She wes a bonnie lassie but she wesna **bonnilie** buskit.*

> *"That wul dae **brawlie**," said the gangril whan A gied him anither shillin.*

> *"Yeir dug can **fairlie** rin," says A.*

> *Byde a wee! The denner is **haurlie** ready yit.*

> *Drink up **hertilie**, whyle the whuskie lests!*

> *What wi aw thair vain repeteitions, ye'd think they **maistlie** belanged the Inglish Kirk!*

> *The laird wes gey **puirlie** turnt oot: what ye micht caw 'shabby genteil'.*

> *The Keing cam **slawlie** throu the toun.*

> *The meinister whyles rubbed his haunds **sleikitlie.***

> *Whan Jock set een on the polisman, he hoyed awa **smertlie.***

*Haud on **steivelie**, or ye see the whytes o thair een!*

*Freedom's sword wul **stranglie** draw...*

*Whan they saw the angels aw fliein doun, they war aw **uncolie** frichtit.*

*She daunced around sae **wantonlie** ablo the gallows tree.*

The position of adverbs is sometimes different from in English.

*The weeds cums throu the fence **aye**.*

*The teacher quarrelt him for whusperin **juist**.*

*Whan aw the hills is cuivert wi snaw, ye ken it's wunter **fairlie**.*

*A coudna **richt** see, athout ma guid specs on.*

*Drew is gey slaw i the uptak **whyles**.*

Adverbs often take the same form as the corresponding adjective. For example:

*Jess is a richt **cannie** dug.*

*Caw **cannie** wi that aix.*

*A dout A'm no a **weill** wumman.*

*She wesna **weill** sutten doun whan in cam hir guidman.*

Adverbs of Manner

Adverbs of Manner include *awricht, brawlie, easie, fain, quick, ram-stam, richt, smert, strecht* and *weill*. They are often the same as the corresponding adjective.

*Wi guid parritch ye'r **awricht** for lyfe.*

*That wul dae **brawlie**!*

*It's **easie** duin ti drap a steik.*

*Even Satan glowert an fidged fou **fain**.*

*Cum you here, **quick** as ye lyke!*

*The bairn gaed at it **ram-stam**.*

*Mynd an dae it **richt!***

*We haed better walk **smert** lyke if we'r ti be in tyme.*

*Whan A see the rector, A'l tell him **strecht,** sae A wul.*

*A aye lyke ma ham **weill** birsilt.*

Adverbs of Time

Adverbs of time include *afore, aft, aften, aince, aye, bedein, belyve, by, eftir, enou, ever, foraye, forordnar, langsyne, never, nou, suin, syne, than, the-morn, the-nicht, whyles, yestrein, yit.*

*Ye soud hae been here **afore!***

***Aft** hae A roved bi bonie Doon.*

*It's no **aften** we eat mukkil afore denner tyme.*

***Aince** ye git ti ken thaim richt, rats is no sae bad.*

*Be ye weill or be ye wae, ye winna **aye** be sae.*

The word, *aye* can mean either *always* or *still*, depending on the context.

*Is yeir back **aye** sair? or Is yeir sair back **aye** sair, yit?*

*It's weirin late sae A'l tak ma leave **bedein**.*

*A maun finnd anither job **belyve**.*

*It's aw **by** an duin wi nou.*

*Jean wul be cummin on **eftir**.*

*Thir shares is gaun cheap i the mercat **enou**.*

*A dout, Wat, ye'l git yeir kail throu the reik gin ye **ever** tell hir that.*

*That bairn is **foraye** greitin.*

*We dinna gang oot **forordnar,** no even the Setterday nicht.*

*In hir haund wes the kynd o staff at auld weimen helpit thairsells wi **langsyne**.*

An **never** the clock rins back,/
the free days ir ower.

An God luikit doun an said, in His Infinite Mercie: "Weill
ye ken **Nou!**"

As **suin** as Mamie cums, A'l gang pit the kettle on.

We war richt guid freins **syne**: Ronald an me.

Than A hears sumbodie bouglin aboot i the yaird.

A dout ye'l no be in ti yeir wark **the-morn**.

Wi this cauld on me A'l gang til ma bed aerlie **the-nicht**.

Whyles we gang ower ti see ma faither in the forenicht.

Yestrein the Queen haed fower Marys.

Jek wul no be here for a guid whyle **yit**.

Adverbs of Place

Adverbs of Place include *ablo, abuin, aheid, ahint, awa, ben,
by, doun, ferr, forrit, furth, here, here-aboots, naewhaur,
oniewhaur, sumwhaur, tae, thare, up, yonder.*

Keir bydes **ablo** on the grund fluir.

The'r a ful muin up **abuin** the-nicht.

You rin **aheid** an we'l follae on **ahint**!

He'l be **ferr** awa bi nou.

The'r never a frein ti cry thaim **ben**.

Ma mither is **ben** speakin wi the meinister.

For it's **up** wi the soutars o Selkirk an **doun** wi the
Yerl o Hume!
Haud **forrit** Scotland!

Cum **furth** oot (o) that press!

What yeir kizzen thinks is neither **here** nor **thare**.

Ir the a public houss **hereaboots**.

*The craws is **naewhaur** ti be seen sen we pat up that
tattie bogil.*

*A canna see it **oniewhaur**.*

*A dout A hae drappit ma wallet **sumwhaur**.*

*Wad ye be sae guid as ti pul that door **tae**?*

***Thare** is the chip shop ower **yonder**.*

A whole family of adverbs of place has been produced by
appending -*by* to prepositions: *alang-by, dounby, inby, onby,
ootby, owerby, throu-by, upby.*

*He is a gey ferr ben **alang-by/owerby/etc**.*

Adverbs of Degree

Adverbs of Degree include *amaist, awfu, awthegither, byordnar,
clean, fair, fairlie, fell, foremaist, fou, fine, gey, geylies, haurlie,
juist, littil, maist, maistlie, middlin, mukkil, nane, near, ower,
rael, richt, sae, sair, that, unco, verra, weill.*

*A'm **amaist** reddie for the road nou.*

*He rins **awfu** slow*

*Ronald is a bit dwaiblie gittin, but A wadna say he's
dottilt **awthegither**.*

*That wund is **byordnar** snell.*

*She lowpit **clean** oot the windae in hir goun.*

*A'm **fair** forfochen eftir that clim up the brae.*

*That wund is **fairlie** blawin the-day.*

*Kerr wes braid an big: a **fell** buirdlie chiel.*

*The Flouers o the Forest that focht aye the **foremaist**
ir aw wede awa.*

*Gregor haes duin **fou** weill at his wark.*

*Dinna pretend ye never saw me! **Fyne** ye ken wha A im.*

*It's **gey** cauld lyke wi that east wund the-day.*

*For auld bodies past echtie, the bluid is **geylies** thin.*

*A'm **haurlie** ready for ma denner yit.*

*Eftir eatin thir guid kail, A think A'm **juist** aboot reddie ti fecht Eck Broun nou.*

*O **littil** did ma mither ken, the day she creddilt me .....*

*She micht think shame ti gang oot in the street wi **maist** nae claes on.*

*It wes a hard fecht but A'm gled ti say we'r **maistlie** awricht.*

*A wes **middlin** yung at the tyme; aboot fortie, mebbe.*

*Aggie says she wad be **mukkil** obleiged for a hurl.*

*Oor Tam can sing **nane**.*

*A'm no **near** duin wi ma denner yit.*

*Ye'r juist ferr **ower** proud awthegither, sae ye ir!*

*"**Ower** monie maisters!" as the taid said whan he wes harlt unner the harrae.*

*Man, A'm **rael** gled ti see ye!*

*It taks a whyle ti git **richt** soupilt up i the mornin.*

*A dout that puir bairn o hirs is no **richt** wyce.*

*Wunds wi warlds ti swing, dinna sing **sae** sweet.*

*On this ferm A hae been **sair** dounhauden bi the bubblie-jok.*

*Whan A wes a bairn in Springburn, we war **that** puir the burds uised ti flie the breid crumbs we'd putten oot back inti the houss.*

*It wes **that** cauld he wadna gang his fuitlenth ower the houss door.*

*Thir soup is **unco** het.*

*A'm no shuir he is **verra** wyce.*

*A aye lyke ma ham **weill** birsilt.*

The adverbs, *sae* and *that,* are used to confer emphasis.

*A braw day—? It is **that!***

*A im **sae** the tap o the cless!*

Parenthetic use of 'lyke'

Lyke may be appended to adjectives, or inserted separately, to convey the meaning: 'so to speak'.

Ye'r no wycelyke wi thae auld breiks on.

The'r nae ill in Colin. He is an innerlilyke sowl.

Girzie is an awfulyke sicht wi hir curlers in.

Mistress Waugh is no aye verra neiborlyke.

Did ye ever see sic a wee shilpitlyke bairn?

A dout Sheena is never lyke cummin.

Ir ye never lyke reddie yit?

Effie is aye disjaskit lyke, or hir cleanin is duin.

Mercie, whatna lyke thing ti say!

What is lyke wrang wi him, that he canna richt sit doun?

For his age, Wat's richt guid at the soumin, lyke.

Ir ye cummin wi me, lyke?

Ye cam by on bamboo stilts, be-in a horse, lyke.

Ma ferm, Whunstanebyres, is anerlie ten acre, lyke.

Interrogative Adverbs

Interrogative Adverbs include *hou, whan, whatlyke, whatfor, what ......for, whaur, whaurfor, what wey.* Note that *hou* can be used both for English *how* and *why*, and that *whit* is a common option for *what.*

***Hou** is the Guidman thir days?*

***Hou** can ye never be ready in tyme?*

Hou did A never meet ye afore A wes richt mairrit?

Hou ir ye up sae aerlie the-day?

Whan ir ye ettlin ti git mairrit?

Whatlyke is it bydin doun the toun?

What ir ye gaun oot **for** athout yeir tapcoat?

Whatfor wad A no help masell?

What ir ye up oot yeir bed **for** at this hour?

Nou **whit** did ye dae that **for**?

What **wey** div A pit this car inti reverse?

Whit **wey** haes the camels got humfs?

Whaur div ye cum frae?

Whaurfor dae A busk ma heid?

The verb, *ti be*, may be omitted after *Whaur*.

Whaur ye gaun, ye crowlin ferlie?

Whaur (is) ma skuil bag?

Whaur (is) yeir Mammie gotten til, son?

Whaur (ir) ye gaun ti sleep the-nicht, Jennet?

In Border Scots we could have:

Whare (ir) oo gaun the-day, than?

Whare (is/ir) ma guid buits aboot?

The verb *ti hae* may also be omitted after *whaur*.

Whaur (hae) ye been aw eftirnuin?

Note the forms, *hou for no?* and *what for no?* meaning *why not*.

Adverbial Phrases - Idiomatic Expressions

A few examples are:

TIME: *aff the bit, ahint the haund, aheid haund, aye ahint, even on, weill fordilt.* The word *cum* can be used, followed by a specified time or eventuality.

*A canna git **aff the bit** or A git this houss redd up.*

*We ir **ahint the haund** wi oor wark this Spring.*

*Wi the guid wather thare been, we'r **aheid haund** wi the hairst.*

*Ye ir **aye ahint** lik the cou's tail.*

*It's mair nor tyme A haed a brek; A've been wurkin **even on** in this gairden aw day.*

*We ir **weill fordilt** wi the wark this year.*

*Jess wad lyke the ooter door richt sortit **cum the back end.***

***Cum wund or snaw**, we'l be weill prepared for't.*

PLACE: *(at) the heid o, (at) the fuit o.*

*Mey bydes (at) **the heid o** the brae.*

*The'r a press (at) **the fuit o** the stair.*

MANNER: *ferr doun the brae, ferr ben, ferr throu wi it, for want o, heelster heid, hert sair, lyke the bars o Ayr, naither ti haud nor ti binnd, oot the wundae, peel an eat, yeir heid in yeir haunds ti play wi, throu the middil wi hungir, ti richts.*

*Wull is ower ferr **doun the brae** for the badminton nou.*

*Meg aye gits guid meat kis she's gey **ferr ben** wi the fleshar.*

*Douglas haes no been weill sen his lest operation an A dout he's gey **ferr throu wi it** nou!*

*It's no sae bad a girnel gin we haedna ti keep the horse's hey in it, **for want o** a richt loft.*

*He slippit an fell **heelster heid** on the skly.*

*A wes **hert sair** ti hear puir auld Elick wes awa.*

*He cam chairgin doun the hill **lyke the bars o Ayr**.*

*Dod'l be **naither ti haud nor ti binnd** or he wuns back ti the rugby field.*

*A dout oor holiday in Spain is **oot the wundae** nou.*

*The war naething o him an he wes gey **peel an eat**.*

*Gavin'l fairlie git **his heid in his haunds (wi his lugs) ti play wi**, whan he wins hame the-nicht!*

*A haena etten oniething ava the-day, sae A'm juist aboot **throu the middil wi hungir**.*

*Nian's face wes that sair burnt wi the bylin wattir whan she wes wee, they coudna pit hir **ti richts** at the hospital.*

REASON: *aince eirant, ower the heid o.*

*A'm no gaun doun the toun **aince eirant** for ti buy saut.*

*The'l be bunnets on the green **ower the heid** o that.*

CONCESSION: *for aw, for aw that, still an on, whan aw said an duin, for-a-be.*

***For aw** Teenie's snash, she haes a guid hert in hir.*

*Duncan wes mebbe a gomeril, but **still an on,** he kent the Laitin.*

***Whan aw said an duin,** she's onlie thrie year auld.*

Lizzie wi the lowin locks /
aye begins ti greit sae sair /
whan it's nicht at eenie, /
***for-a-be** hir bonnie hair /*
an hir snaw-whyte peinie.

CONJUNCTIONS

The main conjunctions are:

afore, before
aither, either
altho, although
an*, and
as, than
at/that, that
beis, compared with
binna, unless
but, but
eftir, after
for, for
frae, from
gin, before, if

hou, hou
kis, because
nor, than
or, before
sae, so
sen, since
tho, though
till, until
whan, when
what, that
whaur, where
whuther, whether
whyle, while

afore: *Ye'l hae a dram **afore** ye gang?*

aither: *Buntie spak juist as plain as **aither** you or me.*

altho: *Elspeth is ettlin ti gang til the reception **altho** she wes never askit.*

an: *Ding doun the nests **an** the craws wul flie awa.*

The word *an* may be omitted when it is understood. *As suin as Jean cums in, A'l awa (an) pit the kettle on/A'l gae (an) pit the kettle on.*

as: Better bairns soud greit **as** bairdit men.

The'r mair beer skailt at the Hawick Common Rydin **as** whit's drukken at the Selkirk yin.

at: Weill kens the mouss **at** the cat's oot the houss.

beis: Things is different awthegither **beis** whit they war lyke afore the First War.

binna: Ne'er mairrie a weidae **binna** hir first man wes hangit!

but: Aw complain o want o siller **but** nane o want o sense.

efter: We taen the road **eftir** we haed haen oor brekfest.

for: A dout Ringan'l no be here the-nicht **for** it's ower late nou.

for *(expressing intent with infinitive)*:

A ryse aerlie **for** ti be in guid tyme for ma wark.

A gang ti the aerobic cless **for** ti keep masell rich soupilt up.

frae: Nell's nae better nor she soud be, **frae** when she set up houss here.

gin *(before)*:

Ye'd better cum inti the houss **gin** it cums on rain.

gin *(if)*: A wadna ken him **gin** A fand him in ma parritch.

hou: He disna ken richt **hou** ti read yit.

kis: Dinna dry up the burn **kis** it wat's yeir feet!

nor: A dreich drink is better **nor** a dry sermon (is).

Donald wul be neither ti haud **nor** ti binnd or he is back on the rugby field.

or: Ne'er kest a clout **or** Mey be oot!

Tak tent o tyme **or** tyme be tint!

sae: A'm fair wabbit, **sae** A'm gaun til ma bed.

sen: A hae felt a sicht better **sen** A cam ti byde here.

Nae leevin man A'l luiv again **sen** that ma luivlie knicht is slain.

We hae been freins **sen** we war laddies at the auld skuil i the birks.

tho: We whyles sleep i the garret **tho** it's no a richt bed room.

till: Ye micht wait here **till** the kye cums hame!

whan: Hang a thief whan he is yung an he'l no steal **whan** he is auld!

what: A wadna wunner but **what** it wes Jek Broun that brak the kirk wundae.

whaur: **Whaur** yon water maks nae soun;/
Babylon blaws by in stour.

whuther: A dinna ken **whuther** A'm gaun or cumin!

Nou **whuther** is this a rich man's houss,
or **whuther** is it a puir?

whyle: Ye'l tak yeir denner **whyle** ye'r here?

*In some constructions, *an* is not equivalent to English *and*. It can be equivalent to *gin*, meaning *if*.

Ye wad loss yeir heid **an** it wes lowss.

It can start a sentence and imply a causal relationship between clauses, having the meaning: *'in view of the fact that'*...

An in Jennet stumps, throu the houss door, as bauld as bress.

Ye'r shuirlie never gaun ower the door athout a tapcoat **an** you wi the cauld on ye?

Imagine Phemie makkin a play for the new meinister, **an** *hir auld aneuch ti be his grannie!*

This usage, has been recorded in Argyll, and it evidently has Gaelic origins.

The Enchineer wass cursin like a tragoon. He said the tammed engines soud be scrapped an that we wad be stuck in Salen for the nicht, **an** *him gaun tae a ball at Tobermory!*

It is also common in Scots English, in such sentences as: *'Mother, you're surely never going to play tennis* **and** *you pregnant?'*

The expression, *what tho,* is equivalent to *so what if.*

What tho on hamelie fare we dyne, /
Weir hodden gray, an aw that!

PREPOSITIONS

The chief prepositions are:

ablo, below

aboot, about

abuin, above

afore, before

agin, against

ahint, behind

alang, along

amang, among

anaith, beneath

anent, concerning

asklent, across

asyde, beside

at, at

athin, within

athout(en), without

athort, across

atower, over

atwein, between

ayont, beyond

beis, except

ben, inside

bi, by

but, without

doun, down

dounby, down at

eftir, after

for, for

forby, besides

forenent, opposite

frae, from, since

i, in

in, in

inby, inside

inower, within

inti, into

intil, into

near, near

neist, next

o, of

on, on

onby, onto

onti, onto

oot, out

ootby, outside

ootower, over

or, before

ower, over

roond, round

throu, through, during

ti, to, until, with

til, to, until, with

unner, under

up, up

wantin, without

wi, with, from

wioot(en), without

ablo: Wha wad want ti byde in a grundhouss **ablo** the fluir?

aboot: Hap this guid plaid **aboot** ye an ye'l never ken the cauld!

abuin: A dout yeir Economics is aw **abuin** ma heid.

afore: Yeir glesses is thare **afore** yeir een.

agin: A dout his back's **agin** the waw nou.

ahint: Eppie's ill for miscawin fowk **ahint** thair backs.

alang: A saw a hare rinnin **alang** the loan the-nou.

amang: She's a kynd o queen **amang** the gipsies.

anaith: The'r no mukkil space **anaith** the fluir.

asklent: 'Maist lyke a man **asklent** the sky, but a mock for bairns as they gang by.

asyde: Ma stick is doun **asyde** the press.

at: It's better ti byde **at** hame i the wunter tyme.

Ye hae juist taen a spyte **at** the bairn.

athin: Ma gloves is **athin** the tap drawer.

athout(en):   **Athout** a pikkil smeddum, the'r no mukkil ye can dae.

Peitie men **athouten** kin, this wunter nicht!

athort: **Athort** the leiden lift, the buirdliest men skraich hairse afore they die.

atower: It wes a fortnicht afore he coud win **atower** the bed.

atwein: That mukkil bullie hut me **atwein** the een wi his niv!

ayont: A met **ayont** the cairnie a lass wi tousie hair.

beis: He sees naebodie **beis** his ain faimlie.

ben: The puir auld sowl is sittin **ben** the houss hir lane.

bi: The doorbell is richt **bi** the ooter door.

but: *Nou thou's turnt oot for aw thy truibil, **but** houss or hald.*

doun: *Mistress Broun steys juist **doun** the brae.*

              *Santie Clau cums **doun** the lum.*

dounby: ***Dounby** the dykesyde a leddie did dwell.*

eftir: *Tho he traets his wife lyke dirt, she's aye rinnin **eftir** him.*

eftir (expressing intent):

              *A dout that laddie is **eftir** anither lounderin.*

for: *Is this braw praisent **for** me?*

for (expressing intent):

              *Ir ye **for** a cof lozenger?*

forby: *Ithers haes seen the chynge in him **forby** me.*

forenent: *Excuise me raxin **forenent** ye!*

              *In the hinner end we aw bou doun **forenent** the snaws o tyme.*

frae: *The wund is **frae** the east the-day.*

frae (meaning since):

              *A haena seen Ailie **frae** lest week.*

i: *Yeir coat is ben **i** the bedroom.*

in: *It's grand ti hae a guid pikkil siller **in** yeir poutch.*

This is sometimes used where 'into' would be used in English:

              *Cum you **in** the houss at aince!*

inby: *The verra dug is **inby** the houss the-day.*

inower: *A wadna care whuther Eisabell ever set hir fuit **inower** the door again.*

inti: *The Wee Frees wyled him **inti** thair kirk.*

intil: *A see the'r peas **intil** this soup.*

near: *He bydes **near** the Toun Perk thir days.*

neist: Wunter an Simmer, A aye weir a semmit **neist** ma skin.

o: Wullie brewed a peck **o** maut.

Tha mair ye dae the less ye'r/ee'r thocht **o**!

on: The kail pat haes been **on** the ingil this whyle back.

Oor Tib aye haed a guid bodie **on** hir.

onby: Mynd yeir feet as you cum **onby** the boat!

onti: It's tyme ye war **onti** the ship.

oot: It wesna lang or he wes **oot** o sicht.

oot (meaning along):

Jamie haes gaen for a bit dauner **oot** the Girvan road.

Oot is often used where 'out of' would be used in English:

A haena been **oot** ma bed aw this week.

Wul you git **oot** ma road?

ootby: Nan haesna been **ootby** the toun for a haill fortnicht.

ootower: What wi the cauld on me, A haena been **ootower** the ooter door the-day.

or: It wants fower meinits **or** the hauf oor.

ower: He'l be fair **ower** the muin whan he hears this wurd.

Yon Ronald deserrs a richt skelp **ower** the heid for his impiddence.

Tein is no verra weill. She haesna been **ower** the bed the-day an she wes never **ower** the door yestrein.

roond: A daursay the wyfe wul be **roond** the corner, neist door.

throu: *The'r sum braw siller birks an ye gang **throu** the perk.*

*He is **throu** the back i the yaird.*

*Eftir yon pottit heid, A wes up twa-thrie tymes **throu** the nicht.*

*A dout Yid is gey ferr **throu** wi it nou.*

ti, til: *Ye'd better gang **ti** his door an speak **til** him!*

*Cum ower here **ti(l)** A see ye!*

*Hear **til** him!*

*Wul ye tak an egg **ti(l)** yeir tea?*

*A im a fiddler **ti** ma trade.*

unner: *The bairns is aye tryin ti read thair comics **unner** the bed claes.*

up: *Ma grannie bydes **up** the loan.*

wantin: *He wure a lum hat **wantin** a croun.*

wi: *What **wi** aw the stramash A haena gotten oot the bit the-day.*

*Tam's lassie gaed doun **wi** the diphtheria.*

wioot: *Ye maunna gang oot **wioot** a tapcoat on a nicht lyke this.*

Note that the following verbs are sometimes followed by *on*: *cry, lounder, mairrie, mynd, think, wait, work, yoke.* (See p.67)

The verb *ti spier,* is commonly followed by *at.*

*A spiered **at** him whaur A coud finnd a wycelyke hotel.*

*Gaun spier **at** Mistress Dabson: wad she like ti byde for hir tea?*

At often takes the place of *with* in English.

*The polisman wes roused **at** me for perkin ma car (in) the wrang place.*

Also in such expressions as:

> *Miss Angus haes taen a rael spyte **at** me. She's aye on **at** me for naething.*

> *That bairn o Fiona's is foraye yerpin on **at** hir.*

> *Drew wes fair ill **at** Miss Broun for skelpin his lug.*

Note the distinction between the prepositions, *bi** and *by*. These are different words in Scots.

> ***Bi** what A hear tell,it wul be aw **by** an duin wi nou*

> *A cam hame **bi** the tap wynd kis A durstna gae **by** the Auld Kirkyaird i the derk.*

Thus, *he gaed **bi** the tron* does not mean quite the same as *he gaed **by** the tron.*

Note the use of ***bi*** in the sense of 'compared with'.

> *Ma brither is yung **bi** me.*

Note the derived adjectival forms:

Comparative	Superlative
benner	*benmaist*
	buinmaist
douner	*dounmaist*
	foremaist
hinner	*hinndmaist*
inner	*innermaist*
ooter	*ootermaist*
upper	*uppermaist*

*The word, *bi,* was represented in Middle Scots as *be,* e.g. *Quhen Makbeth and Banquho war passand to Fores, ...thai mett **be** thegait thre sisteris...*

92

Prepositions as Adverbs

As in English, many prepositions are like chameleons, and change their aspect according to the syntactical background. Many words normally seen as prepositions, function as adverbs when not associated with nouns or pronouns.

For example, in the shepherd's common commands to the Border collie:

*Cum in **ahint**, Jess!*

*Sit **doun**, Jock!*

Also:

*Cum in **aboot**, Sandie, an gie iz yeir crak!*

*A coudna git aff the bit, kis that skunner o a wumman owerby cam **in aboot** an hinnert me.*

*Can A help ye **aff** wi yeir tapcoat?*

*Andraw haes gaen on **afore**.*

*A never kent thon Sheena wes cummin **alang**.*

*Ne'er a freind ti cry thaim **ben/**
This wunter nicht.*

*A hear tell Andrae is gey ferr **ben wi** Ailie's faither.*

*Rorie haes seemed gey hauden **doun** sen he mairrit Eysie.*

*Jek fell **doun** an brak his croun an Jill cam whummlin **eftir**.*

*Callum haes gaen **ower** ti see his grannie.*

*Kirstie wes aye **ower** freinlie wi the men lyke, for hir
ain guid.*
*Gurlie wunds ir roustin **roond** this wunter nicht.*

*Wad ye be sae guid as ti pul that door **tae**?*

*Cum on **throu**, quyne, an sit in ti the fyre!*

The combinations, *dounby, inby, ootby* and *onby* are commonly used as adverbs as well as prepositions.

*Nian bydes **dounby** the wattirsyde.*

*Nian is awa **dounby**.*

*Morag is **inby** the house in bi the ingil.*

*Morag haes gaen **inby**.*

*Tam is **ootby** the houss oot bi the stank i the yaird.*

*Tam is **ootby** in the bern.*

*Mey is **onby** the boat areddies.*

*Hou lang haes she been **onby**?*

Prepositions to end a sentence with

It is normal in Scots to end sentences with prepositions. For example:

*Daith is sumthing A'd rather no think ower mukkil **aboot**.*

Hark the maivis' even sang,/
*Soundin Clouden's woods **amang;***

*Algebra is a subjek Keith haes aye been guid **at**.*

*Lat's try finnd a guid hole for ti thraw Joseph **doun**!*

*Yon man Hitler haed an awfu lot ti aunsir **for**.*

*This ring belonged ma mither an it's a thing A wadna lyke ti be pairtit **frae**.*

*The Chemistry is sumthing Ian haes aye been interested **in**.*

*Never hunt for a wife or ye hae a houss ti pit hir **intil**!*

*A tell ye what it is: the mair ye/ee dae the less ye'r thocht **o**.*

*We'r wantin a claes lyne for ti hing the washin **on**.*

*A Scot, a craw an a Newcastle grinndstane traivel the warld **ower**.*
*Whaur yon pirn for ti rowe the threid **roond**?*

*The'r nae hole here a mouss coud crawl **throu**.*

*Grizzel, juist whit ir ye up **til**?*

*The'r a peg thare whaur ye can hing yeir coat **up**!*

*Stella is the quyne Fraser haes aye been taen up **wi**.*

*Whan he wins hame, Dougie wul git his heid in his haunds
an his lugs ti play **wi**.*

Compound Prepositions

Some prepositions, such as *atower, inti, intil* have been
compounded from pairs of prepositions and there is a tendency
in Scots to group prepositions in pairs. For example:

alang asyde	*doun throu*	*ower asyde*
alang bi	*doun wi*	*ower bi*
ben ablo	*in ablo*	*throu asyde*
ben abuin	*in aboot*	*throu ben*
ben ahint	*in ahint*	*throu bi*
ben asyde	*in anaith*	*up abuin*
ben wi	*in asyde*	*up ahint*
doun ablo	*in atwein*	*up asyde*
doun ahint	*in bi*	*up bi*
doun anaith	*in wi*	*up on*
doun asyde	*oot bi*	*up ti*
doun bi	*ower ahint*	*up wi*

*The'r a bakstar's shop **alang asyde** the Toun Haw.*

*The'r a chantie **ben ablo** the bed in the front chaumer.*

*Ma guid hat is **ben abuin** the wardrobe.*

*Yeir dressin goun is **ben ahint** the chaumer dure.*

*Marget is **ben asyde** hir mither in the best room.*

*Flora is **ben wi** Mungo in the houss.*

*Ma penny fell **doun ahint** the dresser an rummilt
in ablo the table.*

*A dout we hae rats bydin **doun anaith** the fluir. A whyles hear thaim rinnin aboot **in atwein** the waws.*

*The'r a vase for flouers lyke, **in bi** the heidstane.*

*Rona bydes **in wi** hir sister Shona, **doun asyde** the glebe.*

*The corn mill is richt **doun bi** the wattirsyde.*

*Ma faither bydes **doun throu** on the hauch **alang bi** the stane brig.*

***In ahint** yon auld fail dyke /*
I wot thare lies a new-slain knight.

*Ma beads is throu the parlor on the drawers' heid **in anaith** ma hankie **up asyde** the clock.*

*Cum you **in aboot** an sit yeirsell doun **in asyde** the ingil!*

*Jean is **in wi** Tam in the fishmonger's.*

*Russell is howkin tatties **oot bi** the gairden shed.*

*The pepper is **ower asyde** the saut on the table heid.*

*We aye staun **ower ahint** the goal posts.*

*The leibrie is **ower bi** the fountain.*

*The computer is **throu asyde** the phone i the spare room.*

*Gang **throu ben** the bedroom an ye'l finnd ma stick **doun ablo** the bed **in ahint** the wee kist!*

*The pillar box is **throu bi** the war memorial.*

*Ma bunnet is whaur it aye is: **up abuin** ma jaiket **up on** the wardrobe shelf.*

*The East Kirk is **up ahint** the tron on the stey brae.*

*Oor Nan haes bidden **up bi** the kirk for a lang whyle.*

*It's shuirlie **up ti** Fergus whuther he wants this job or no.*

AHINT

PREFIXES AND SUFFIXES

Prefixes

A- is equivalent to English *be-* in many words. For example: *ablo, afore, ahint, anaith, asyde, atwein, ayont*.

Be- is employed (a) to strengthen verbs; for example: *befaw, begrudge, besmerten;* or (b) to make nouns into verbs, for example: *begowk, begunk*.

For-, or *fore-*, is equivalent to 'early'. For example: *forebeir, fore-end, forenicht, forgether, forhou, forleit, forsay, forspeak*.

Mis- implies something unpleasant. For example: *misdout, mishanter, misken, mislear, mislippen, mismak*.

Wan- signifies 'absence'. For example: *wancannie, wanchancie, wanfortuin, wanhowp, wanrest, wanshapen, wanthriven*.

Suffixes

The ending *-ar* is sometimes used to indicate 'a doer': *bakstar, biggar, cottar, fechtar, ill-daear, makkar, saidlar, shaemakkar, soutar, wabstar*, etc.

Endings *-ie* and *-ok* are used to form diminutives: *houssie, kiltie, laddie, lassie, moussie, sweetie, Wullie*, etc., and *bannok, bittok, puddok, skuddok, Wullok*, etc. Note the double diminutive, *bairnikie*, derived from *bairnok* and *lassikie* from *lassok*. The ending, *-ie* is particularly popular in north-east Scots, as in *quynie, lounie, meinitie, etc.*

The ending *-heid* in nouns is equivalent to English, *hood*. For example: *bairnheid, liveliheid, nameliheid, neiborheid, youthheid.*

Descriptive adjectives are often formed by adding suffixes to existing words.

The endings, *-ie* and *-lie* confer a general extension of the meaning of the original word. For example: *handie, knackie, hamelie, heivinlie, innerlie.*

> *For aw Rab is ower echtie, he's gey handie in the gairden.*
>
> *Bell haes aye been knackie wi hir haunds.*
>
> *What tho on hamelie fare we dyne, —!*
>
> *Ye'r a heivinlie sicht! A thocht ye war deid.*
>
> *Scott is an innerlie fallae — no mukkil lyke his faither.*

The endings, *-sum, -rif,* and *-fu* mean 'full of'.

For example: *awsum, brichtsum, derksum, dreidsum, dulesum, forritsum, fousum, frichtsum, fowersum, fulsum, gledsum, gruesum, lanesum, langsum, lichtsum, lousum, mirksum, skunnersum, ugsum, waesum, weirisum; cauldrif, waukrif; awfu, bewtifu, breik backsydefu, dulefu, gowpenfu, neivefu, mensefu, peitifu, skinfu, wunnerfu, etc.* Note that *-fu* is unstressed and that other spellings may be used to represent it.

The ending, *-less*, means 'without', as in English. Hence: *a fekless laddie, a fushionless wife, a gumptionless craitur, a haunless loun, a hertless bruit, a legless drunk, a mauchtless fallae, a menseless chiel, a sachless pudden, a thoweless caird, a uissless gomeril, a wutless wretch.*

When *-lyke*, or its unstressed form, *-lik*, is appended to an adjective, it confers a more general bearing. For example: *an awfulik sicht, a bonnilik lassie, a brawlik sicht, a courselik chiel, a daftlik notion, a dirtilik besom, a dwaiblilik bodie, a harduplik faimlie, an innerlilik sowl, a massilik wretch, a neiborlik wumman,* *an orralik limmer, a puirlik bodie, a shilpitlik craetur, a smertlik loun, a snotterilik neb, a sonsilik quyne, a tastilik morsil, a wycelik fallae.*

The ending, *-maist*, is used to form superlatives, as in *dounmaist, uppermaist* (see p.42).

The ending, *-sell,* is a shortened form of *itsell.*

It often means 'covered with'.

We have: *clairtsell, floursell, glaursell, sautsell, shairnsell, snawsell, stoursell.*

The ending, *-lin* is found in adjectives and some nouns, where it signifies a direction or condition.

For example: *hauflin, middlin, murlin, norlin, ootlin, wastlin.*

The ending, *-lins* is employed in adverbs in a similar way. For example: *aiblins, backlins, blinndlins, derklins, dounlins, erselins, firstlins, heidlins, hidlins, mirklins, ochtlins, sydelins, uplins, yirdlins.*

HAUD YEIR TUNG!

INTERJECTIONS

Interjections include:

		Expression
Ach!		*Impatience*
Ai!	*Oh!*	
Atweill	*Indeed*	*Assertion*
Aweill!		*Submission*
Ay, Ay!	*Just so!*	*Sarcasm*
Bletheration!	*Nonsense!*	*Disbelief*
Bi the leevin	*By the living*	*Astonishment*
Hairrie!	*Harry!*	
Certie	*Certainly*	*Assertion*
Caw cannie!	*Go easy!*	*Remonstrance*
Feich!		*Disgust*
Hae!	*Here you are!*	
Haivers!	*Nonsense!*	*Disbelief*
Haud forrit!	*Onwards!*	*Injunction*
Haud on!	*Stop!*	*Injunction*
Haud yeir tung!	*Surely not!*	*Injunction*
Hech!		*Sorrow*

Hout(s), Howt! or *Hut!*	*Really!*	*Impatience*
Hyuh!	*Here you are!*	
Jings!	*By Jingo!*	*Asseveration*
Laddie, Laddie!		*Remonstrance*
Man! Man!		*Remonstrance*
Never!	*Impossible!*	*Disbelief*
Nounae! Nounae!	*Now then!*	*Sympathy*
Ochone!	*Woe is me!*	*Sorrow*
Wheisht!	*Silence!*	
Wow! or Whow!		*Regret*

Many interjections are eroded forms of earlier religious invocations:

Crivvens!	*Christ defend us*	*Astonishment*
Dod!	*God!*	*Surprise*
Fegs!	*Faithkins!*	*Surprise*
For the luiv o Guid	*For the love of God*	*Impatience*
Govie dick!		*Surprise*
Guid kens!	*God knows!*	*Puzzlement*
Guid sakes!	*God sakes!*	*Dismay*
Guidness kens!	*God knows!*	*Puzzlement*
Heivins!	*Heavens!*	*Wonder*
Losh!	*Lord save us!*	*Wonder*
Mercie me!	*Have mercy on me!*	*Surprise*
Megstie!	*Almighty God*	*Alarm*
Michtie!	*Almighty God!*	*Alarm*
Serr's!	*Lord preserve us!*	*Alarm*
'S truith!	*God's truth!*	*Irritation*

BLAW

IRREGULAR VERBS

Infinitive	Meaning	Past Tense	Past Participle
aet	*eat*	ett	etten
awe	*owe*	awed	awed
		aucht	aucht
baet	*beat*	baet	beaten
be	*be*	wes	been
becum	*become*	becam	becum
begin	*begin*	beguid	begun
beir	*bear*	bure	buirn
beseek	*beseech*	besocht	besocht
bid	*bid*	bad	bidden
bigg	*build*	biggit	biggit
		bugg	buggen
binnd	*bind*	band	bund
blaw	*blow*	blawed	blawn
		blew	blewn
brek	*break*	brak	bracken
		bruk	brukken
bring	*bring*	brocht	brocht
burn	*burn*	brunt	brunt
burst	*burst*	burstit	burstit
			bursten

Infinitive	Meaning	Past Tense	Past Participle
buy	*buy*	bocht	bocht
			bochten
byde	*stay*	bade	bidden
chuise	*choose*	chuise	chuisen
cleid	*clothe*	cled	cled
cleik	*hook*	cleikit	cleikit
		claucht	claucht
clim	*climb*	clam	clum
craw	*crow*	crawed	crawed
		crew	crawn
creep	*creep*	creepit	creepit
		crep	cruppen
cum	*come*	cam	cum
dae	*do*	did	duin
daur	*dare*	daured	daured
		durst	durst
ding	*hit*	dingit	dingit
		dang	dung
dowe	*be able*	docht	
draw	*draw*	drew	drawn
dring	*loiter*	drang	drung
drink	*drink*	drank	drukken
dryve	*drive*	drave	drivven
faw	*fall*	fell	fawn
fecht	*fight*	focht	focht
			fochten
fesh	*fetch*	fesht	fesht
		fuish	fuishen
finnd	*find*	fand	fund
flie	*fly*	flew	flewn
			flaen
flit	*shift*	flittit	flittit
			flitten
forfecht	*be overcome*	forfocht	forfochen
forget	*forget*	forgat	forgotten
forgie	*forgive*	forgied	forgien

Infinitive	Meaning	Past Tense	Past Participle
freeze	*freeze*	fruize	fruizen
gae	*go*	gaed	gaen
gang	*go*		
gaun	*go*		
gar	*compel*	gart	gart
		garred	garred
gie	*give*	gied	gien
		gien	
git	*get*	got	gotten
		gat	gatten
greit	*weep*	grat	grutten
		gret	
grinnd	*grind*	grund	grund
growe	*grow*	growed	growne
grup	*grip*	gruppit	gruppit
		grap	gruppen
hae	*have*	haed	haed
			haen
haet	*heat*	haetit	haetit
			haeten
haud	*hold*	heild	hauden
hear	*hear*	haird	haird
		hard	hard
hecht	*promise*	hecht	hecht
hing	*hang*	hingit	hingit
		hang	hung
hit	*hit*	hut	hutten
			hut
hurt	*hurt*	hurtit	hurtit
			hurten
hyde	*hide*	hid	hidden
inbring	*import*	inbrocht	inbrocht
kest	*cast*	kuist	kuissen
lat	*let*	luit	latten
lauch	*laugh*	laucht	laucht
		leuch	lauchen

105

Infinitive	Meaning	Past Tense	Past Participle
leap	leap	lap	luppen
lowp	leap	lowpit	lowpit
			lowpen
mak	make	made	made
mismak	unsettle	mismade	mismade
mistak	mistake	mistuik	mistaen
owerdae	overdo	owerdid	owerduin
owertak	overtake	owertuik	owertaen
pit	put	pat	putten
quut	quit	quat	quutten
redd	tidy	redd	redd
rin	run	ran	run
ryde	ride	rade	ridden
ryse	rise	rase	risen
ryve	tear	ryved	ryved
		rave	rivven
see	see	see'd	seen
		saw	
seek	seek	socht	socht
shae	shoe	shod	shodden
shak	shake	shuik	shuiken
shein	shine	shane	shane
sheir	shear	shure	shuirn
shew	sew	shewed	shewn
shuit	shoot	shot	shotten
shyne	shine	shyned	shyned
		shane	shane
shyte	defecate	shytit	shytit
		shat	shutten
sit	sit	sat	sutten
sklim	climb	sklimmed	sklimmed
		sklam	sklum
sling	sling	slang	slung
slyde	slide	slade	slidden
smit	infect	smittit	smitten

Infinitive	Meaning	Past Tense	Past Participle
snaw	snow	snawed	snawed
			snawn
sowe	sow	sowed	sowed
			sowne
speik	speak	spak	spoken
spin	spin	span	spun
spit	spit	spat	sputten
spreid	spread	spreidit	spreidit
		spreid	spreid
staun	stand	stuid	stuiden
steil	steal	stale	stown
steing	sting	stang	stung
stik	stick	stak	stukken
strik	strike	strak	strukken
stryde	stride	strade	stridden
stryve	strive	strave	striven
sweir	swear	sweired	sweired
		swure	swuirn
sweit	sweat	swat	swutten
tak	take	tuik	taen
		taen	
teir	tear	ture	tuirn
teitch	teach	taucht	taucht
tell	tell	telt	telt
		tauld	tauld
thraw	throw	thrawed	thrawn
		threw	threwn
thryve	thrive	thrave	thriven
traet	treat	traetit	traetit
		tret	tret
treid	tread	tred	tridden
trew	believe	trowed	trowed
tyne	lose	tint	tint

Infinitive	Meaning	Past Tense	Past Participle
uise	use	uised	uised
		uist	uist
uphaud	uphold	upheild	uphauden
wad	wed	waddit	waddit
		wad	wad
weir	wear	wure	wuirn
weit	wet	wat	wutten
wesh	wash	wesht	wesht
		wuish	wuishen
winnd	wind	wand	wund
wryte	write	wrate	wrutten
wun	win	wan	wun
wurk	work	wrocht	wrocht

THE SPELLING
OF SCOTS

In the courtly poems of the Makkars of the 15th and 16th centuries, when Scots was seen as adequate for nearly every purpose of life, the rather loose system of spelling used was superior phonetically to the practices of later writers in Scots, who had to be content with a state of affairs where Scots had been socially downgraded for political and economic reasons.

The literary Scots of the medieval Makkars was in the process of evolving into a language in its own right, in several respects distinct from southern English, with its own idioms and orthographic and grammatical standards. A distinction was commonly made between present participles ending in *-an*, or *and,* and verbal nouns ending in *-in*, such as *biggin* and *flittin.* Writing in Scots was characterised by the use of *quh-* for *wh-*, *sch* for *sh-* and s-, and a number of spellings of key words, which were later brought into conformity with standard English practice. For example, the following were in common use: *ar* (are), *byd(e)*, *dyn(e)*, *tym(e)*, *wyf(e)* (bide, dine, time, wife), *cum, sum* (come, some), *eftir* (after), *evin* (even), *evir (ever)*, *heir, neir* (here, near), *hir* (her), *speik* (speak), *thai* (they), *thaim* (them), *thair* (their) and *yit* (yet). Several of these features are present in the following passage from John Bellenden's translation of 1536 of Hector Boece's 'The Chronicles of Scotland'.

The samyn tyme happynnit ane wounderfull thing. Quhen Makbeth and Banquho war passand to Fores, quhair King Duncan wes for the tyme, thai mett be the gaitt thre weird sisteris or wiches, quhilk cam to thame with elrege clething. The first o thame sayid to Makbeth; "Hayill, Thayne of Glammys!" The saicund sayid: "Hayill, Thayn of Cawder!" The thrid sayid: "Haill, Makbeth, that sallbe sum tyme King of Scotlannd."

By the beginning of the 18th century, in the time of Allan Ramsay, Scots was beginning to be regarded in influential quarters as a rustic dialect of English rather than a national form of speech which had been independently derived from a remote common ancestor, and Ramsay employed a system of spelling which reflected this parochial attitude of mind.

There were no satisfactory contemporary models of written Scots, so instead of basing his system on the relevant but out-of-date practices of the Makkars, Ramsay turned to English and embarked on large-scale anglicisation of Scots spelling[18]. Traditional Scots spellings of many key words were abandoned and Ramsay also introduced apostrophes into Scots words with English equivalents, giving the impression that they were really careless versions of their English counterparts.

Successors of Allan Ramsay, such as Fergusson, Burns, Scott and Galt, tended to follow his spelling ideas, and the general trend throughout the 18th and 19th centuries was to adopt further spelling practices from English, since this was the only accessible standard.

By the end of the 19th century, Scots orthography was in a state of utter confusion as a result of hundreds of years of piecemeal borrowing from English practice, and it had long been impossible for anyone to write in Scots without using a host of spelling forms adopted from English. The language had come to be regarded as a parochial form of speech, at one and the same time associated with a stultifying social order and the deepest feelings of those who had been exposed to it in infancy. The spelling of Scots employed by the Kailyaird writers in the second half of the nineteenth century reflected these attitudes.

A completely phonetic system of spelling Scots was devised by Sir James Wilson at the beginning of the present century[15], and the following stanza from *Caller Herrin* gives an impression of the appearance of Scots written on this basis.

> *Neebur weifs, noo tent ma tellin.*
> *Hwun dhu boanay fush yee'r sellin,*
> *At ay wurd bee in yur dailin—-*
> *Truith ull stawnd hwun awthing'z failin.*

Although this system has been valuable for recording details of pronunciation, the outlandish appearance of Scots written on this basis, ruled it out for general purposes. If the familiar appearance of written Scots is to be preserved, a largely phonetic system of spelling is required which will continue to employ traditional spelling precedents for most of the vowel sounds.

Following a spate of Lallans poetry in the thirties and forties, a significant step towards introducing some order into the spelling of Scots was taken at a meeting, chaired by A.D. Mackie, of the Makkars' Club in Edinburgh in 1947, when the 'Scots Style Sheet' was approved (APPENDIX I). This consisted of a number of recommendations designed to standardise some Scots spellings, and many of these ideas were adopted by Lallans poets. J.K. Annand, Douglas Young, Robert Garioch, A.D. Mackie, Alexander Scott, Tom Scott and Sydney Goodsir Smith all followed the recommendations in the Style Sheet to some extent.

These proposals closely followed the ideas of Douglas Young and A.D. Mackie, and although they were very limited in their scope, as a result of their influence, modern Scots poetry now looks much less like a careless version of English, plagued by a swarm of parochial apostrophes. Nevertheless, much greater consistency in the spelling of Scots is still required, and it was necessary to carry this development a stage further.

Since the proposals in the Scots Style Sheet amounted to about a single page of print, and no guidance was given on how to represent the vowel in words such as *ben, ken, gled, sned* and *redd*, they were hardly adequate guidelines for spelling a language. Further proposals for the rationalisation of Scots orthography were published by the author in 1979[19]. In 1985, the Scots Language Society (SLS) also published a set of guidelines entitled 'Recommendations for Writers in Scots' (LALLANS 24, 1985). These recommendations were republished as a separate document in 1994. They represent a consensus view of writers employing Scots at this time (1985), following several years of debate and consultation, involving Alexander Scott, David Murison, Jack Aitken and Alastair Mackie, among others with a professional interest in the problems of Scots orthography. The published document (APPENDIX II) was essentially a developed version of The 1947 Scots Style Sheet, based on traditional spelling precedents. In this way, the familiar appearance of literary Scots can be preserved. The publication of the Concise English-Scots Dictionary in 1993[20] represented a further move towards standardising Scots orthography in some areas.

Although the SLS Recommendations amount to a fairly radical set of proposals for reforming the spelling of Scots, the language still preserves its familiar appearance when written in conformity with these guidelines. Hugh MacDiarmid is on record[21] (LALLANS 50) as being in favour of reform of Scots orthography, and the reproduction of his own writing in Scots on the basis of a reformed spelling system. The following version of *Crowdieknowe* provides an impression of what literary Scots looks like when written in this way.

> *O ti be at Crowdieknowe*
> *Whan the lest trumpet blaws,*
> *An see the deid cum lowpin ower*
> *The auld gray waws.*
>
> *Mukkil men wi tousilt baerds,*
> *A grat at as a bairn*
> *'l skrammil frae the croudit cley*
> *Wi fek o sweirin.*
>
> *An glower at God an aw his gang*
> *O angels i the lift*
> *—Thae trashie bleizin French-lyke fowk*
> *Wha gar'd thaim shift!*
>
> *Fain the weimen-fowk'l seek*
> *Ti mak thaim haud thair rowe*
> *— Fegs, God's no blate gin he steirs up*
> *The men o Crowdieknowe!*

Despite the popularity of the fallacy that MacDiarmid wrote in an artificial language described as 'Synthetic Scots', the language here is entirely natural.

The system of spelling Scots used in this book conforms to most of the SLS Recommendations. On the basis of this system, it is possible to deduce the pronunciation of nearly every specifically Scots word from its spelling. With few exceptions, each vowel or digraph represents one sound in Scots. The diphthong in words like *time* and *wife*, which is characteristically different in Scots, is represented by using 'y', to give *wyfe* and *tyme*, as in Middle Scots usage. The troublesome 'ea' digraph, which has come to represent three different vowel sounds in English (in *break, feather* and *speak),* is largely replaced by 'ae', 'ai' or 'ei' as appropriate, and the 'ee' and 'oo' digraphs borrowed from English are largely replaced by the traditional 'ei' and 'ou', respectively. However, in this particular text, the 'oo' digraph is sometimes retained in place of 'ou' in a few words, such as *oot, aboot, oor* and *soond,* to avoid confusion with English pronunciation. This confusion will no longer arise with words like *out* if the Scots language ever assumes its proper place in Scottish education as a linguistic system distinct from English, with its own idioms, grammar, syntax and orthography.

The 'ui' digraph, wherever it occurs, represents the modified 'o' sounds, as in *guid, ruif, huik, fuil, luim, muin, stuipit, puir* and *buit.* A list of over 2,500 commonly-used Scots words spelt on the basis of the SLS Recommendations is given in Appendix III.

Among the plethora of existing Scots-English dictionaries, more than one option is found for spelling most words, and as many as four or five options can be found for some words. The Concise English-Scots Dictionary, the first dictionary of its kind, was published in 1993[20]. This dictionary is unusual in that only one, or, at the most, two spellings are given for each Scots word. Although the publication of this dictionary is unlikely to end controversy over the spellings of particular words, it should have a useful effect in reducing the number of spelling options currently used by writers. This dictionary also includes a number of positive general proposals for the reform of Scots spelling. Some of these, such as the specific proposal to drop unnecessary apostrophes (for example, *awa'* for *awa),* underwrite suggestions already made in the Scots Style Sheet (1947) and in the SLS Recommendations for Writers in Scots (1985).

Probably more than 50 per cent of the lexis of Scots consists of words used in common with English. Unfortunately, the spelling of such words reflects the chaotic state of English orthography, and often conflicts with the principles on which the spelling of specifically Scots words is based. Some evidently English words commonly appearing in the context of written Scots (such as, *ability, idiot, blind, find, mind, time, wife, double, finger, hunger, younger, pear, tear, single* and *stir*), have a different pronunciation from English, and in any reformed system of spelling Scots, it is important that the spelling of such words should reflect the difference. On the basis of a satisfactorily reformed system, these words could be spelt: *abeilitie, eidiot, blinnd, finnd, mynd, tyme, wyfe, doubil, fingir, hungir, yungir, peir, teir, singil,* and *steir*. It is no accident that some of these spellings occur in Middle Scots, when Scots was seen as a language in its own right, rather than as a corrupt kind of English.

As a result of the vagaries of English spelling, *clerk, derby, cloud, loud, our, flour, pour, about, out, stout, ration, fruit, suit* and *vase*, already indicate the pronunciation in Scots of these words on the basis of the Scots spelling system. Readers unfamiliar with spoken Scots are therefore liable to be misled about their pronunciation and assume that these words are pronounced as in English when they appear in the context of Scots.

However, where there are no traditional precedents, there seems no good reason for altering the spellings of words used in common with English, if the English spelling leaves no doubt about pronunciation, even if another spelling would conform better to the Scots system. For example, words such as, *crew, deep* and *sleep, see* and *wee, field, here, scene, direct, boat, lout* and *croon,* (meaning 'sing') are probably best left alone.

It is sometimes asserted that Scots includes English, and on this basis, it might be argued that any rational reform of Scots orthography would necessarily involve altering the spellings of any English words shared in the context of written Scots. This does not appear to be a practicable proposition, and even if it were, it would certainly produce a written kind of Scots which would have an odd appearance and be out of kilter with the substantial body of literature which already exists in Scots. At present, most writers employing Scots are largely concerned with rationalising and systematising the spellings of the specifically Scots words which qualify to be listed in Scots dictionaries.

There seems no prospect of early publication of a Scots dictionary which will include all the words used in common with English in literary Scots. The word, *for*, is in this category, and at present, it properly belongs in English dictionaries. The vowel here is unstressed and virtually undifferentiated, and there is, therefore, no justification for representing it as *fer*, *fir* or *fur*, words in which a different vowel is specifically represented. The same applies to representing *the* as *thi*.

If the spelling of a word cognate with English, is irregular and there is a traditional precedent for a better Scots spelling, there is a case for using this. For example, *hir* for *her*, *thai* (or *thay*) *for they*, *thair* for *their*, *thare* for *there*, *thaim* for *them*, *ir* for *are*, *im* for *am*, *wes* for *was*, *wad* for *would*, *war* for *were*, *sal* for *shall*, *wul for will*, *littil* for *little*, *cum* and *sum*, for *come* and *some*, are rational spellings used by the Medieval Makkars, which might now be usefully reintroduced to the Scots lexis.

In practice, some writers, in accordance with the traditional Scottish tendency for *ilkane ti gang aye his ain gait*, appear to invent their own spelling systems off the cuff and introduce additional options with bizarre consequences. For instance, it is not uncommon for writers to use the spelling *oan*, to indicate a difference in pronunciation from English *on*. On this basis, *or* might be spelt *oar*, and *clock* as *cloak*. The word *land* is sometimes spelt *laund* for similar reasons, and on analogy with such spellings, we might feel obliged to use *Scoatlaund* (or even, *Skoatlaun*) for *Scotland*. It seems generally unwise to try to alter the traditional orthography of Scots to such an extent that unfamiliar forms like this are the logical result.

Since any written language is a communal system of communication, rather than a collection of different systems based on the personal whims of writers, the present chaotic state of affairs undermines the status of Scots as a language. The reform and standardisation of Scots orthography is therefore now an urgent necessity. The Scots Language cannot be effectively taught, either at school or university level, until this has been accomplished. However, this is a process which is now well under way.

The 1985 SLS Recommendations deal with most of the orthographic problems for writers in Scots, but one problem which was not addressed, was how to represent the Scots soft 'g' in a number of words. On the face of it, we might think the spelling of a word like *young* should be left alone in a Scots context. The pronunciation is very nearly the same in Scots and English, but in the comparative, *younger,* the 'g' is different in English. A convenient way of representing the Scots pronunciation would be to use the spelling, *youngir,* so we might as well eliminate the irregularity in the representation of the vowels and use, *yung, yungir* and be done with it. This would fit in with spellings like *hungir* and *fingir,* and *tung* then becomes justified by analogy. The spelling, *langir,* then becomes necessary to indicate the Scots 'g', and 'strangir', to avoid confusion with the English word for an *outlin.* There is no phonetic problem with *singer,* but *singil,* in accord with *ingil, pingil, etc.,* is needed for *single,* with its hard 'g' in English.

Another problem which requires attention concerns the spelling of words cognate with English words ending with -serve, for example, conserve, deserve, reserve, preserve, etc. Where the final syllable is stressed, it is convenient, on analogy with *ferr* (far), to spell such words as *serr, conserr, deserr, reserr,* etc. For example, *It serrs hir richt! Bessie deserrs aw she gits!*

In general, the publication of the 1947 Scots Style Sheet and the Recommendations for Writers in Scots have had a useful effect in eliminating some variations and irregularities in the spelling of Scots. However, the proposal in the Style Sheet to use spellings like *aa, baa, caa, faa,* etc., for words sometimes represented with apostrophes, as, *a', ba', ca', fa',* etc, was due to an error of judgment. In such spellings, the second '-a' is essentially a disguised parochial apostrophe. The spellings, *aw, baw, caw, faw,* etc. were already recorded in 1947 in Scots dictionaries, and it was pointed out by A. J. Aitken during discussions prior to the publication of the SLS Recommendations, that there was no logical reason for making the spellings of these words inconsistent with words like *blaw, braw, craw, raw* and *snaw.* This proposal, could lead to the use of absurd spellings like *snawbaa.* It simply had the effect of introducing an unnecessary additional digraph into Scots spelling practice and it was therefore abandoned. However, the 'aa' digraph could serve a useful function by employing it to represent the more open vowel in such words in north-east Scots, where *snawbaw* could be represented as *snaabaa,* and *whaur* as *faar.*

In 1947, at the time The Scots Style Sheet (APPENDIX I) was written, there were as many as five popular options for representing the vowel sounds in *heid* (e, ee, ei, ie, i). These have now been effectively reduced to three (ee, ei, ie) and other unnecessary spelling practices, such as the representation of the modified 'o' sound in *muin* and *shuin* by 'u(consonant)e', have practically disappeared. The use of 'u(consonant)e' is now largely restricted to represent the different vowel sound ('ou') in a few words like *dule, smule, bure, hure, smure, ture, wure, snuve,* etc. This is consistent with English practice for words such as, *rule, rude, crude, brute, lute, etc.*

In Mak it New[22], an anthology of twenty-one years of writing in the LALLANS magazine, which includes contributions by sixty-two authors, apostrophes are no longer used to represent 'missing' letters which would have been present if a related English word had been used. There is also significant replacement of the parochial 'ee' and 'oo' digraphs borrowed from English, by the native Scots 'ei' and 'ou' combinations, respectively.

It will probably never be practicable to achieve a recognised Scots orthography where every vowel sound in Scots words will be represented by a single letter or digraph. The 'ui' digraph occurs in many Scots words and this presents a difficulty, since it now represents a phoneme, a group of related vowel sounds which vary with the consonant which follows. For example, the sound in *fuit* is not quite the same as in *buit* and the sound in *puir* and *shuir* is different from that in *abuin, muin* and *spuin.*

It is, nevertheless, convenient to employ 'ui' to represent this group of etymologically related sounds. In north-east Scots, where modification of the original 'o' vowel led to a significantly different result, it is necessary to use a different digraph (ee) to represent the sound, as in, *skweel (skuil), teem (tuim), abeen (abuin), peer (puir), beets (buits).*

However, with this exception, we now seem to be moving gradually towards a sensible position where, for serious writers in Scots, each vowel or digraph will represent only one sound, and only one spelling will be commonly used for each specifically Scots word. Ideally, this spelling will give a useful indication of the pronunciation for every specifically Scots word in the context of written Scots.

APPENDIX I

SCOTS STYLE SHEET

As proposed at the Makars' Club meeting on
April 11, 1947 in a hostelry in Edinburgh.

Aa for older 'all' and colloquial 'a': *caa, baa, smaa, faa, staa.*
But *ava, awa, wha.* And snaw, blaw, craw, etc.

Ae, Ai, Ay, or *a (consonant)e* for the open sound in *fray, frae,
hain, cairt, maister, blae, hame, bane, byspale.* Also *ay* for *yes;
aye* for *always.*

E, ee, ei, ie, and *i* for the sound of 'i' in French: according to old
usage: *heed, deed, heid, deid, hie, Hieland, die; Hevin, sevin,
eleven; ee, een, yestreen; ambition, king, tradition, sanctified.*

Eu for the sound in *neuk, deuk, leugh, leukit, beuk, eneuch* -
pronounced variously from north to south and from east to west.

Ie for diminutive, adjectival and adverbial endings - *mannie,
bonnie,* and lichtlie.

Y for the diphthong 'a-i' in *wynd, mynd, hyst,* in distinction to
plain short 'i' in *wind, bind, find.* (The practice of dropping the
terminal 'd' to be discouraged in writing.)

Ou mainly for sound of French *ou* in *mou, mouth, south, sou,
about, out, nou, hou, dour, douce, couthie, drouth, toun, doun,
round;* but *oo* according to old usage in words like *smooth, smool,
snoove.*

Ow, Owe always for the dipthong in *powe, knowe, growe, thowe,
rowe, gowpit, yowl.*

Ui or *u* *(consonant)e* for the mdified 'u' sound, long and short, *puir, muir, fluir; guid, tuim, wuid; spune, shune, sune, tune, use, mune, abune.*

Ch gutteral in all cases where this sound is to be represented, *socht, bocht, thocht, eneuch, teuch;* the obsolete "gh" might profitably be dropped in 'through' and 'though' - *throu, tho -* and 'laigh' spelt 'laich'. But 'delyte,' never rhyming with 'nicht'.

Verbal endings: -an for all present participles, but *-in* for the verbal noun in 'newbiggin', 'flytin' etc. Past tense and past participles for weak verbs in *-it, -t,* and *-ed* according to euphony: *flypit, skailt, garred, loued, snawed.*

Ane for *yin, een, etc. (one). Ae,* not *yae,* before nouns. *Ain* for *own, his ain sel,* etc. But *awn (wha's aucht)* for 'own' (verb).

Pronouns: wha, interr. nom. and accus.; and 'that' as relative in preference to 'wha' or 'whilk'. 'Whatna' rather than 'whilk' as interrogative adjective: *Whatna ane was that?*

To: Use this spelling before infinitive, and 'til' as a rule before nouns but euphony must be the guide. *We gaed til the kirk.*

Tae: too meaning *also,* and *toe.*

Apostrophes to be discouraged.

Negatives: -na affixed to verb, *nae* before nouns, and *no* normally: *I'm no that fou.*

APPENDIX II
SCOTS LANGUAGE SOCIETY
RECOMMENDATIONS FOR WRITERS IN SCOTS

These recommendations represent a consensus view on the spelling of Scots agreed at a meting of Scots *makkars* in the School of Scottish Studies in Edinburgh in 1985. The recommendations relate to specifically Scots words which are not found in English, and to words with related English equivalents which have a distinctive Scots pronunciation (e.g. *frein, ma, ir, out, pour* and *wyfe*). It is not suggested here that words used in Scots in common with English which have the same pronunciation, such as *field, sleep,* and *nation*, should be altered if the English spelling leaves no doubt as to the pronunciation.

In general, in writing Scots, it is desirable that there should be traditional precedents for the spellings employed and that writers aspiring to use Scots should not invent new spellings off the cuff. A serious problem of Scots orthography is that there are already too many spelling options for many words. For example, some current writers employ the spellings, *fer, fir* or *fur* for the word *for* which is used in common with English. Since the vowel here is unstressed and hardly differentiated, such spellings serve no useful purpose.

If the following recommendations do not give guidance as to the spelling of any word, reference may be made to one of the Scots dictionaries, such as the Scottish National Dictionary, the Concise Scots Dictionary, or the Concise English-Scots Dictionary.

A, AU, AW for the vowel sound in *awa, wha, gar; auld, glaur, waur, maut, saut; aw, awbodie, braw, caw, faw* and *snaw*. The word *ca*, meaning *call*, may be distinguished from *caw* meaning drive. Where this sound begins or ends a word, AW is normally used.

AE, AI, A(consonant)E for the monothongal vowel sound in *brae, faem, maen; dwaiblie, hain, sair, baith; hame, bane* and *vase.*

E normally represents the vowel sound in *ken, gled, ben, snek, ferm, herm, hert* and *yett.*

EE, EI, IE for the sound in *wee.* Where EE is firmly established, as in *ee* and *een,* it is retained, but EI is the preferred internal digraph and is used for example, in *deid, reik, weill, feim, yestrein* and *seivin.* EI is also used in words (often of French and Latin origin) where this vowel is represented by 'i' in the corresponding English word. For example: eidiot, freil, feinish, televeision, veisit, abeilitie, poseition, etc. IE is used terminally in monosyllabic words such as *brie, die, gie, grie hie,* etc.

TERMINAL -IE in place of final 'y' generally, for example, in *bonnie, clamjamfrie, cuddie, lassie, sairlie, etc.*

I is reserved for the short vowel in *brig, finnd, kist* and *shilpit.*

Y, Y(consonant)E, EY for the common diphthong in *gey* and *aye* (always), for example, in *tryst* and *wynd; wyfe, dyke, syne, clype, styte,* etc. EY is used to represent this sound in words where it occurs initially or finally, for example, in *eydent, cley, stey* and *wey.*

EU for the sound in *aneuch, speug, neuk,* etc., pronounced variously, from north to south and from east to west.

OU mainly for the sound of French 'ou', in *cou, fou, boul, soum, doun, stour* and *flouer.* In certain words, such as *out, about* and *our,* there may be a case for using OO for this vowel to avoid confusion with English pronunciation.

U as in *dubs, lug, bul, ful, wul, drumlie* and *hunder.*

U(consonant)E is employed for the 'ou' sound in a few words, such as *dule, bure, hure* and *wure.*

UI for the mdified 'o' sounds as in *guid, ruif, buik, fuil, tuim, spuin, puir, uise, uiss, juist, buit* and *truith.*

OW, OWE always for the diphthong in *growe, growthe, thowe, howf, dowie, fowk, lown, cowp, lowp, rowp* etc.

CH is a velar fricative, except at the start of a word, as in *chap, chitter* or when it follows 'n', 'r', or 't', as in *runch, airch, poutch,* etc. For example, *lauch, fecht, bricht, loch, bucht.* Use *laich* for *laigh, hauch* for *haugh, hoch* for *hough, souch* for *sough.* The ending '-gh' can profitably be dropped in *through* and *though,* to give *throu* and *tho.*

K replaces '-ct' in words like *expek, objek.* K is suggested in preference to 'c' after initial 's', to give, for example, *skart, skelf, sklim, skreive* and *skunner.*

TERMINAL -IL is suggested in words commonly spelt with the endings, '-el' and '-le', to give: *kittil, morsil, mukkil, soupil, taigil, traivil, warsil,* etc., but *kittlie.*

TERMINAL -SS is used to represent the final sound in *kiss,* except where '-se' follows a consonant, as in *mense, merse.* Thus: *crouss, fauss, houss, mouss, lowss, poliss, galluss.*

TERMINAL -ND: The 'd' is sometimes not pronounced and there is no reason why it should be represented in many words: *an* (and), *len, staun, tbousan, frein,* for example. It may be necessary to retain 'd' in *haund, round, sound, stound, grund,* because the 'd' may be pronounced in derived forms, such as *haundit, roundit, stoundin,* etc.

VERBAL ENDINGS: '-in' for present participles and verbal nouns: *be-in, giein, cairriein, swallaein, girnin, raxin; biggin, steidin, cleidin, plenishin, dounsittin.*

Past tense and past participles of weak verbs ending in '-b', '-d', '-g', '-k', '-p' and '-t', add on '-it'; for example, *bebbit, gydit, biggit, howkit, flypit, rowpit, veisitit.* Verbs ending in '-il', '-en', '-er', '-ch', '-sh', '-ss' and '-f', usually add on '-t', for example, *hirpilt, fessent, foundert, laucht, fasht, blisst, dafft.* Otherwise, '-ed' may be used, for example, *beiled, kaimed, hained, coloured;* or '-d' when the infinitive already ends in silent '-e': *breinged, chowed, loued, lowsed,* etc.

ANE is suggested for *yin, een, wan, one,* etc. *Ae*, or *yae* before nouns.

PRONOUNS: *A* may be used for *I, ye* for *you*, except where the word is stressed; *hir* for *her, yeir* for *your, thai* for *they, thaim* for *them.* Use *wha, wham, whas,* interrogatively, and *that* as a relative pronoun in preference to *wha* or *whilk. Whatna,* rather than *whilk* as interrogative adjective.

TI, TIL, TAE, TILL: *Ti* is normally used for *to*, and invariably with the infinitive. *Til* may be used before nouns preceded by the definite or indefinite article, or more commonly, before words beginning with a vowel or the letter 'h'. *She's no speakin til him the-day. Tae* is equivalent to *too*, meaning *also*, and *toe*, and is used as a stressed form of *ti*, as in, *Pul the door tae! Till* means *until*.

APOSTROPHES should not be used to represent letters which would have been present if related English words had been used instead. Thus: *hert,* not *he'rt; wi,* not *wi'; himsell* and *hirsell,* not *himsel'* and *hirsel'.*

NEGATIVES: '-na' affixed to verb *(canna, isna, wesna),* or *no* used separately *(A'm no that fou)* are equivalent to English, *not; nae* before nouns is equivalent to English, *no (The'r nae luck about the houss).*

DOUBLED CONSONANTS: In disyllabic words in which the first syllable is stressed, the consonant following the vowel in the first syllable is doubled when the vowel is short. For example, in *cokkil, fremmit, wumman, donnert, verra, blatter, dizzen.* The consonant, 'n' is also doubled in *blinnd, finnd* to indicate the Scots vowel. The internal consonant is not doubled in, *telt, spelt, kent.*

AFFIRMATIVE: A*y* is used for yes and is distinguished from *aye*, meaning *always*.

APPENDIX III

COMMON WORDS SPELT ON BASIS OF SCOTS LANGUAGE SOCIETY RECOMMENDATIONS

Guidelines agreed at Meeting of Writers in Scots in School of Scottish Studies, Edinburgh on 30 March, 1985.

A, pron, I
abeilitie, n, ability
abeis, prep, compared with
ablo, prep, below
aboot, prep, about
abraid, adv, abroad
abuin, prep, above
accuistom, v, accustom
admeit, v, admit
admoneition, n, admonition
ae (yae), a, one
aefauld, a, honest
aefauldlie, adv, sincerely
aerlie, adv, early
aern, v, earn
aet, v, eat
aff, adv, off
affek, v, affect
afore, prep, before
aften, adv, often
agin, prep, against
agley, a, off line
ahint, prep, behind
Ai, interj, Oh
aiblins, adv, perhaps
aigil, n, eagle
aik, n, oak
ail, v, be unwell
ain, a, own

aince, adv, once
ainsell, pron, own self
aipil, n, apple
airch, v, n, arch
airm, v, n, arm
airn, n, a, iron
airt, v,n, aim
aishan, n, issue
aiss, n, ash
aith, n, oath
aither, pron, either
aix, n, axe
ajee, a, awry
alairm, v,n, alarm
alane, a, alone
alang, prep, along
allou, v, allow
altho, c, although
amaist, adv, almost
amang, prep, among
an, c, and
anaith, prep, beneath
anaw, adv, also
ane, (yin), a, one
anent, prep, concerning
anerlie, adv, only
aneuch, a, enough
angir, n, anger
anither, a, another

125

anter, v, venture
antrin, n, uncommon
apen, v, open
areddies, adv, already
argie, v, argue
arreist, v, arrest
as, c, than
ashet, n, dish
asklent, a, oblique
asyde, prep, beside
at, pron, that
athin, prep, within
athort, prep, across
athout, prep, without
atower, prep, across
atweill, adv, indeed
atwein, prep, between
aucht, v, due
auld, a, old
auld-farrant, a, old-fashioned
aumers, n, embers
aunsir, n, answer
aw, a, all
awa, adv, away
awbodie, n, everybody
awe, v, owe
aweill, inter, Ah *well*
awhaur, adv, everywhere
awn, v, own
awricht, a, alright
awsum, a, awful
awthegither, adv, altogether
awthing, n, everything
ay, interj, yes
aye, adv, always
ayebydin, a, eternal
ayelestin, a, eternal

ayont, prep, beyond

back-swaw, n, retreating wave
bade, v, lived
baerd, n, beard
baet, v, beat
baggie, n, minnow
baird, n, bard
bairge, v, barge
bairn, n, child
bairnheid, n, childhood
baist, v, beat
baith, a, both
bakstar, n, baker
bane, n, bone
banerif, a, bone-full
bang, v, n, jump
bannok, n, small loaf
bap, n, roll
barrae, n, barrow
bather, v,n, bother
bauch, n, bad tasting
bauchil, v,n, distort
baudrons, n, cat
bauk, n, beam
bauken, n, bat
bauld, a, bold
baw, n, ball
bawbee, n, halfpenny
bawheid, n, foot
beb, v, drink
becum, v, become
bedein, adv, immediately
befaw, v, befall
begesserant, a, sparkling
begowk, v, deceive
begrudge, v, grudge

begrutten, a, tear-stained
begunk, v, deceive
behauden, a, obliged
beheid, v, behead
beik, v, warm
beil, v, suppurate
beild, v,n, shelter
bein, a, comfortable
beinge, v, kow-tow
beir, v, bear
beirie, v, bury
beis, prep, by
beiss, n, beast(s)
bek, v, curtsey
belang, v, belong
beld, a, bald
belter, v, strike
belyve, adv, immediately
ben, adv, within
benmaist, a, innermost
bere, n, barley
berk, v,n, bark
berm, v,n, ferment
bern, n, barn
beseek, v, beseech
besmerten, v, smarten
besom, n, hussy
betterment, n, improvement
bewaur, v, beware
bewtie, n, beauty
bi, prep, by
bidden, v, lived
bien, a, comfortable
bigg, v, build
biggar, n, builder
biggin, n, building
bikker, v, skirmish

billie, n, companion
bing, n, heap
binna, c, except
binnd, v, bind
binner, v, run
birk, n,v, birch, cheer
birkenshaw, n, birch wood
birkie, a, lively
birl, v,n, spin
birr, v, whirr
birsil, v, scorch
birss, n, brush
birze, v, squeeze
bittok, n, piece
bizz, v,n, bustle
blad, v,n, spoil
blae, a, blue
blairt, n, outburst
blash, v,n, splash
blate, a, bashful
blatter, v,n, rattle
blaud, v, spoil
blaw, v,n, blow
bleb, v, tipple
bleir, v, dim
bleize, v,n, blaze
blek, v,a, black
blekken, v, blacken
blekkit, v, blacked
brachil, v, charge
blink, n, moment
blinnd, a, blind
blirt, v, weep
bliss, v, bless
bluffert, v,n, gust
bluid, v,n, blood
bluiter, v, obliterate

blunner, v,n, blunder
blyth, a, happy
blythsum, a, happy
bob, v,n, curtsey
bocht, v, bought
bodach, n, old man
bodil, n, copper coin
bogil, n, spectre
bogshaivil, v, distort
bole, n, recess
bonnie, a, beautiful
borrae, v, borrow
bosie, n, embrace
boss, a, hollow
bothie, n, cottage
bou, v, bow
bou-backit, a, hump-backed
bouer, n, bower
bougil, v, lurk
bouk, n, bulk
boul, n, bowl
bourtree, n, elder tree
bouster, v,n, bolster
bowf, v,n, bark
bowk, v,n, retch
brace, n, mantelpiece
blether, v,n, babble
brae, n, slope
braid, a, broad
brainch, n, branch
braith, n, breath
braird, v, sprout
brak, v, break
brank, v, prance
brash, v, bash
brattil, v,n, clatter
braw, a, fine

brawlie, adv, splendid
brawlyke, a, fine
braws, n, finery
brecham, n, horse-collar
bree, n, brew
breid, n, bread
breiks, n, breeches
breil, v, race
breinge, v,n, barge
breishil, v, rush
breist, n, breast
brek, v,n, break
bress, n, brass
bricht, a, bright
brichtsum, a, bright
brie, n, gravy
brier, n, briar
brig, n, bridge
brither, n, brother
brocht, v, brought
brod, v, goad
brog, v, pierce
broggil, v, bungle
brok, n, badger
brose, n, oatmeal dish
brouk, v, soil
broun, brown
brounkaities, n, bronchitis
brouzil, v, crush
browden, v, pamper
bruind, v, flare
bruit, n, brute
brukkil, brittle
brulyie, n, brawl
brunt, v, burnt
bubblie-jok, n, turkey
bucht, n, sheep-pen

buik, n, book
buinmaist, a, highest
buirdlie, a, stalwart
buirie, v, bury
buit, n, boot
bul, n, bull
buller, v,n, bellow
bullie, n, bully
bum, v, drone
bumbaize, v, confuse
bumfil, v, rumple
bummil, n, bumble bee
bunnet, n, bonnet
burd, n, bird
burn, v,n, stream
burrae, v,n, burrow
busk, v, adorn
buskie, a, bushy
buss, v,n, bush
but, n, outer room
byde, v, dwell
bydie-in, n, paramour
bygae, v, pass
bygaein, n, passing
bygait, n, byway
bygaun, n, passing
byke, n, building
byle, v, boil
bylie, n, baillie
byordnar, a, unusual
byre, n, cowshed
byspale, a, wonderful
byuss, a, special

cabbil, v, quarrel
cabbrach, n, lout
caddie, n, carrier

cailleach, n, old woman
caiper, v, caper
caipstane, n, copestone
cair, a, left-handed
caird, n, tinker
cairn, n, stone heap
cairrie, v, carry
cairrie-on, behaviour
cairt, v,n, cart
caiver, v, mumble
cak, v, defecate
cakkie, v, defecate
callant, n, youth
caller, a, fresh
cam, v, came
camshachil, a, distorted
camsheuch, a, crabbed
camsteirie, a, perverse
clag, v, clog
cangil, v,n, wrangle
canker, v, fret
cankert, a, ill-tempered
cankrif, a, cankering
canna, v, cannot
cannach, n, cotton grass
cannie, a, v, gentle
cant, v, sing
cantie, a, cheerful
cantil, v, tilt
cantrip, n, frolic
carfuffil, n, disorder
cark, n, care
carl, n, old man
carlin, n, old woman
catterbatter, v, wrangle
caudron, n, cauldron
cauf, n, calf

cauld, a, cold
cauldrif, a, chilly
caum, a, calm
caunil, n, candle
caussie, n, causeway
caw, v,n, drive
chaet, v, cheat
chafts, n, jaws
chairge, v,n, charge
chak, v, nip
champ, v, mash
chancie, a, lucky
channer, v, grumble
chantie, n, chamber pot
chap, v, knock
chaumer, n, bedroom
chaw, v, vex
chein, v,n, chain
cheisil, v,n, chisel
cherk, v,n, gnash
chief, a, intimate
chiel, n, lad
chirl, v, chirp
chitter, v, shiver
choukie, n, hen
chowe, v,n, chew
chowk, n, cheek
chuise, v,n, choose
chukkie, n, pebble
chynge, v,n, change
clachan, v,n, hamlet
claen, v,a, clean
claes, n, clothes
clag, v, clog
claik, v, gossip
clairt, v,n, soil
clairtie, a, dirty

claith, n, cloth
claiver, v,n, talk foolishly
clamjamfrie, n, riff-raff
clap, v, pat
clapper, v,n, rattle
clarsach, n, harp
clash, n, tittle-tattle
clatch, v, besmear
claucht, v, clutch
cleg, n, horsefly
cleid, v, clothe
cleik, v,n, hook
clek, v, talk
clekkin, n, group
clesp, v,n, clasp
cless, n, class
cleuch, n, ravine
cley, n, clay
clim, v,n, climb
clivver, a, clever
clocher, v, expectorate
clok, v, brood
clokbees, n, flying beetles
cloker, n, beetle
clokin-hen, n, brooding hen
closs, n, narrow alley
clour, v,n, bruise
clout, n, cloth
clowt, v,n, strike
clype, v,n, inform
clytach, v,n, chatter
clyte, v, rap
cof, v, cough
cog, n, pail
cokkil, v,n, scallop
complein, v, complain
confab, v,n, talk

confuise, v, confuse
connach, v, spoil
conseider, v, consider
conter, v, oppose
contramaciuss, a, perverse
corbie, n, crow
corp, n, body
corrieneuch, v, converse
cosie, a, cosy
cottar, n, cottager
cou, n, cow
couart, v, coward
coud, v, could
couer, v, cower
cour, n, fool
courie, v, crouch
course, a, stormy
couthie, a, agreeable
cowk, v, n, retch
cowp, v,n, overturn
cowt, n, colt
craichil, v, croak
craig, n, crag, neck
craig-bane, n, collar bone
craik, v,n, croak
craitur, n, creature
crak, v,n, chat
crakkar, n, boaster
crammasie, a, crimson
crang, n, carcass
cranreuch, n, hoar frost
crap, n, v, crop, crept
craw, v,n, crow
creil, n, basket
creinge, v, n, cringe
creipie-stuil, n, wee stool
creish, v, n, grease

creishie, a, greasy
crib, v, curb
crochil, v, cough
crok, v, kill
cronie, n, companion
crottil, v, crumble
croun, v,n, crown
croup, v,n, croak
crouss, a, cheerful
crowdie, n, soft cheese
crowle, v, crawl
cruddil, v, congeal
cruik, v, bend
crulge, v, contract
crummil, v, crumble
crummok, n, short stick
crunkil, v, rumple
cruppen, a, shrunken
cry, v, call
cryne, v, shrink
cuddie, n, donkey
cuddil, v, n, cuddle
cuif, n, fool
cuinyie, n, coin
cuisine, n, cousin
cuit, n, ankle
cuiver, v,n, cover
cum, v, come
cummer, v, cumber
cundie, n, drain
curran, n, currant
cushat, n, pigeon
cushie, n, ring-dove
cushin, n, cushion
cuttie, a, short

dad, v, knock

dae, v, do
dael, v, deal
daf, v, flirt
daft, a, foolish
daftlyke, a, foolish
daidil, v, dawdle
daiker, v,n, stroll
dairt, v,n, dart
daith, n, death
daiver, v, daze
dakkil, v, hesitate
dauner, v,n, stroll
dannil, v,n, dandle
darg, v,n, labour
daud, n, piece
daur, v, dare
daursay, v, suppose
daw, v, dawn
dawin, n, dawn
dawk, v, drizzle
dawt, v, caress
deed, v, die
deemster, n, judge
defeat, v,n, defeat
deg, v, pierce
deid, a, dead
deidil, v, sing
deif, n, deaf
deil, n, devil
deive, v, deafen
deleirit, a, delirious
denner, n, dinner
depone, v, deposit
derf, a, difficult
derk, a, dark
derken, v, darken
derksum, a, dark

dern, v, hide
deserr, v, deserve
deuk, n, duck
devall, v, cease
diamant, n, diamond
dicht, v,n, wipe
dichtie, a, dirty
diddil, v, make mouth music
dill, v, soothe
ding, v,n, hit
dingil, v, tingle
dink, v, spruce
dinna, v, do not
dinnil, v, shake
dird, v,n, strike
dirdum, n, tumult
dirl, v, vibrate
dirr, n noise
discuiver, v, discover
disjaskit, a, dejected
disna, v, does not
dispone, v, arrange
dit, v, block
div, v, do
divot, n, turf
dizzen, a, dozen
dochter, n, daughter
dochtna, v, cannot
doiter, v, stumble
dok, n, backside
dominie, n, school-master
donnert, a, stupid
dort, v, sulk
doss, v, tidy
dottilt, a, senile
dou, n, pigeon
doubil, v,a, double

douce, a, gentle
douk, v, bathe
doun, prep, down
dounhauden, a, oppressed
dounfaw, n, downfall
dounlins, a, downwards
dounset, n, reverse
dounsittin, n, sitting
dour, a, sullen
dout, v,n, doubt
dover, v, doze
dowe, v, be able
dowf, a, gloomy
dowie, a, sad
dowp, n, bottom
dozent, a, stupid
draibil, v, besmear
draigil, v, draggle
drak, v, absorb
drap, v,n, drop
draunt, v, drone
dreich, a tedious
dreid, v,n, dread
dreidsum, a, dreadful
dreil, v,n, drill
dreim, v,n, dream
dreip, v,n, drop
drie, v, endure
dring, v, loiter
drop, v, prick
drog, v, drug
drouk, v, drench
droun, v, drown
drouth, n, thirst
drouthie, a, thirsty
drukken, v, drunken
drumlie, a, muddy

dryte, n, excrement
dryve, v,n, drive
dubs, n, mud
duds, n, clothes
dug, n, dog
duin, v, done
dule, n, grief
dulesum, a, sad
dumfounert, a, amazed
dumpie, a, depressed
dunner, v, rumble
dunsh, v, n, nudge
dunt, v,n, blow
dure, n, door
durstna, v, dared not
dwaibil, v, pine
dwaiblie, a, feeble
dwal, v, dwell
dwaum, v, swoon
dwyne, v, dwindle
dyke, n, wall
dyne, v, dine
dystar, v, dyer
dyte, n, writing

echt, a, eight
echteen, a, eighteen
echtie, a, eighty
ee, n, eye
eebrou, n, eyebrow
eelid, n, eyelid
eftir, adv, after
eftirnuin, n, afternoon
egg, v, urge
eggil, v, urge
eidiot, n, idiot
eik, v,n, extend

eild, v,n, age
eimok, n, ant
eith, a, easy
elbae, n, elbow
eldritch, a, unearthly
eleivin, a, eleven
empie, v,a, empty
erse, n, arse
esk, n, newt
etten, v, eaten
etter, v, fester
ettil, v,n, intend
ettin, n, ogre
evin, a, even
evir, adv, ever
excuise, v, excuse
excuiss, n, excuse
expek, v, expect
expekkit, v, expected
expone, v, explain
eydent, a, industrious
eyl, n, oil

faddom, v, fathom
fae, n, foe
faem, v,n, foam
faik, v, abate
fail, n, turf
faimlie, n, family
fain, a, affectionate
fair, a, quite
fairfaw, v, bless
fairing, n, drubbing
fairlie, adv, certainly
faither, n, father
fallae, n, fellow
fancie breid, n, cakes

fank, n, pen
fankil, v,n, tangle
fanton, a, phantom
fantoush, a, flashy
farl, n, scone
fash, v,n, annoy
fasherie, n, trouble
fashiuss, a, troublesome
fauch, a, pale
fauld, v,n, fold
fauss, a, false
faut, v,n, blame
faw v,n, fall
fawn, v, fallen
faze, v, inconvenience
fecht, v,n, fight
fechtar, n, fighter
feerich, n,v, bustle
Fegs, int, truly!
feim, n,v, violent heat
feinish, v,n, finish
feint, n, devil
feir, v,n, fear
feirdie, n, coward
feirt, a, scared
fek, n, amount
fekfu, a, powerful
fekless, a weak
fell, adv, strongly
fend, v, manage
fendin, n, provision
ferlie, v,n, wonder
ferm, n, farm
fermer, n, farmer
ferr, adv, far
ferr-ben, a, intimate
fesh, v, fetch

fessen, v, fasten
fettil, n, condition
fey, a, doomed
ficher, v, fumble
fidder, v, flutter
fier, n, companion
fikkil, v,n, puzzle
fimmer, v, skip
fingir, n, finger
finnd, v, find
flae, n, flea
flaf, v, flap
flamagaster, n, shock
flaucht, n, flash
flauchter, v,n, flutter
flaunter, v, tremble
flech, n, flea
fleg, v,n, frighten
fleir, v,n, jeer
fleitch, v, flatter
fleshar, n, butcher
flichter, v, flutter
flichtermouss, v,n, bat
flie, v,n, fly
flird, v, flaunt
fling, v, dance
flisk, v, whisk
fliskie, a, frisky
flit, v, shift
flitten, v, removed
flitter, v,n, flutter
flittin, n, removal
flocht, v, flutter
flochter, v, flutter
flotter, v, float
flouer, n,v, flower
fluf, v, disappoint

fluid, n, flood
fluir, n, floor
fluirstane, n, hearth
fluke, n, flounder
flunge, v, caper
fluther, v, confuse
fly, a, crafty
flype, v, fold
flyte, v, scold
fochel, n, young lady
focht, v, fought
follae, v, follow
foraye, adv, forever
forby, adv, besides
fordil, v, advance
forebeirs, n, forefathers
fore-end, n, beginning
foreland, n, beach
foremaist, a, foremost
forenent, prep, before
forenicht, n, evening
forfauchilt, a, exhausted
forfecht, v, be overcome
forfochen, a, exhausted
forforn, a, worn out
forgain, prep, opposite
forgether, v, assemble
forgie, v, forgive
forgrutten, v, tear-stained
forhou, v, forsake
forjeskit, a, fatigued
forker, n, earwig
forleit, v, forsake
forordnar, adv, usually
forrit, adv, forward
forritsum, a, hold
forsay, v, deny

forspeik, v, bewitch
fortuin, n, fortune
fou, a, full, drunk
founder, v, collapse
foumart, n, polecat
founds, n, foundations
foust, v, rot
foustie, a, decayed
fousum, a, loathsum
fouter, v,n, bungle
fouth, n, abundance
fouthless, a, barren
fower, a, four
fowersum, a, foursum
fowert, a, fourth
fowk, n, folk
frae, prep, from
fraith, n, froth
frammil, v, gobble
fraucht, n, load
frein, n, friend
freinge, n, fringe
fremmit, a, alien
fricht, n, fright
frichten, v, frighten
frichtsum, adj, frightful
froun, v,n, frown
fryne, v, fret
fudder, v, hurry
fuf, v, blow
fug, n, moss
fuil, n, fool
fuit, n, foot
fuitbaw, n, football
fuitlenth, n, footlength
ful, a, full
fulsum, a, fulsome

fulyerie, n, foliage
fummil, v,n, fumble
furr, n, furrow
furth, adv, forth
fushion, n, vigor
fushionless, a, weak
futrat, n, weasel
fyke, v, fuss
fykie, a, fussy
fyle, v, defile
fyre, n, fire
fyre-end, n, fireplace
fyre-flaucht, n, lightning

gab, v,n, chatter, mouth
gaberlunyie, n, beggar
gadge, v, dictate
gae, v, go
gain, v, suit
gair, v, become streaked
gaird, v,n, guard
gairden, garden
gaist, n, ghost
gait, n, road, goat
gaivil, n, gable
gallants, n, nobles
gallivant, v, gad about
galluss, a, bold
gang, v, go
gangril, n, vagrant
ganje, v,n, grin
gansh, v, snap
gant, v,n, yawn
gar, v, compel
gash, v, prattle
gaun, v, going
gaw, v,n, irritate

geiggil, v,n, giggle
geir, n, equipment
gek, v, mock
gemm, n, game
genteil, a, refined
gentil, a, graceful
gentil, a, gentle
gesserant, a, brilliant
gether, v, gather
gett, n, child
gey, a, very
geyan, a, very
gie, v, give
gill, n, measure
gillie, n, male servant
gills, n, cheeks
gin, c, if
girdil, n, griddle
girle, v, tingle
girn, v,n, whine
girnel, n, meal chest
girsil, n, gristle
git, v, get
gizz, n, face
glaik, v, fool
glaikit, a, stupid
glaum, v, stare
glaumer, v,n, bewitch
glaumerie, n, magic
glaur, n, clay
glaurie, a, muddy
glaursell, a, all mud
gled, a, glad
gleg, a, smart
gleid, n, burning coal
glence, v,n, glance
glent, v,n, sparkle

gless, n, a, glass
glif, v,n, frighten
glisk, n, glimpse
gloamin, n, dusk
glowe, v, glow
glower, v, frown
glunsh, v, sulk
goave, v,n, star
gollach, n, insect
gollop, v,n, gulp
gomeril, n, blockhead
gorbil, v,n, gulp
gorblin, n, nestling
gormaw, n, cormorant
goums, n, gums
goun, n, gown
gowan, n, daisy
gowd, n,v, gold
gowden, a, golden
gowf, n, savour
gowk, n, cuckoo
gowl, v,n, how
gowp, v,n, gulp
gowpen, n, double handful
gracie, a, devout
graen, v,n, groan
graff, n, grave
graip, n, garden fork
graip, v,n, grope
graith, n, equipment
gramloch, v, greedy
grammil, v,n, scramble
grannie, n, granny
gray, a, grey
grein, v, long
greishoch, n, embers
greit, v,n, weep

gresp, v,n, grasp
gress, n, grass
gret, a, great
grie, v, agree
grinnd, v, grind
grinndstane, n, grindstone
grippie, a, mean
grouguss, a, ugly
grounch, v,n, grunt
growe, v, grow
grue, v,n, shudder
gruesum, a, horrible
grumf, n, complainer
grumfie, n, pig
grumlie, a, grim
grummil, v,n, grumble
grund, n, ground
grundhouss, n, cellar
gruntil, n, snout
grup, v,n, grip
grush, v, crumble
gryce, n, pig
guddil, v, muddle
guff, n, smell
guid, a, good
guidbrither, n, brother-in-law
guid-dochter, n, daughter-in-law
guid-gaun, a, lively
guidman, n, husband
guidson, n, son-in-law
guidwyfe, n, wife
gullie, n, carving knife
gulliegaws, n, gashes
guiss, n, goose
gundie, n, toffee
gurl, v,n, growl
gurlie, a, rough

gutcher, n, grandfather
gutter, v, gurgle
gyde, v,n, guide
gyte, a, mad

haar, n, mist
habber, v, stutter
hae, v, have
haed, v, had
haedna, v, had not
hael, v, heal
haen, v, had
haena, v, have not
haep, n, heap
haes, v, has
haesna, v, has not
haet, v,n, heat
haet, n, particle
haffets, n, side-hair
hag, v, hew
hagger, v, hack
haigil, v, carry
haik, v, wander
hail, v, pour
haill, a, whole
haimilt, a, domestic
hain, v, conserve
hairie-oubat, n, caterpillar
hairns, n, brains
hairse, a, hoarse
hairst, v,n, harvest
haisk, v, croak
haisilt, a, dried
haiver, v,n, talk nonsense
haiveril, n, half-wit
halie, a, holy
hallirakkit, a, hare-brained

hame, n, home
hamecummin, n, return
hamelie, a, homely
hamesukken, n, assault
hank, v, hook
hankil, v, entangle
hanlawhyle, n, little while
hansil, v,n, welcome
hant, v,n, haunt
hantil, n,a, quantity
hap, v, cover
hard-up, a, ill
harl, v, drag
hash, v,n, spoil
hatter, v, harass
hauch, n, flat ground
hauchil, v, hobble
haud, v,n, hold
hauf, a, half
hauflin, n, youth
hauf-wuttit, a, half-witted
haund, v,n, hand
haunil, v,n, handle
haunless, a, clumsy
haurlie, a, hardly
hauss, n, neck
haut, v, limp
haw, n, hall
hechil, v, gasp
hecht, v, promise
heft, v, dwell
heich, a, high
heid, n, head
heidstane, n, headstone
heiligoleirie, n, chaos
heivin, n, heaven
heize, v,n, lift

hek, v, eat greedily
hekkil, v, cross-question
hen-hertit, a, chicken
hen-taed, a, hen-toed
henwyfe, n, poultry woman
herbor, v, harbour
herm, v,n, harm
herrie, v, rob
hert, n, heart
hertskaud, n, heartbreak
het, a, hot
heuch, n, precipice
heuchie, a, steep
heuchie-backit, a, hump-backed
hey, n, hay
hicht, n, height
hichten, v, heighten
hidlins, a, secret
hie, a, high
hieland, n,a, highland
himsell, pron, himself
hindmaist, a, last
hing, v, hang
hingil, v, loiter
hinner, v, hinder
hinnermaist, a, last
hinnie, n, honey
hint-leg, n, hind-leg
hippit, a, useless
hir, pron, her
hird, v,n, herd
hirpil, v,n, limp
hirsell, pron, herself
hirsil, v, arrange sheep
hishie, n, whisper
hissell, pron, himself
hizzie, n, hussy

hoast, v,n, cough
hoch, v,n, hamstring
hochil, v,n, shamble
hodden, a, homespun
hoker, v, crouch
hotch, v,n, heave
hotter, v, simmer
hou, adv, how
houdie, a, hooded
houlet, n, owl
houss, n, house
howder, v, swarm
howdie, n, midwife
howdil, v,n, huddle
howe, n, valley
howf, n, shelter
howk, v,n, dig
howp, v,n, hope
hoy, v, hurry
hudder, v, huddle
hugger, v, shiver
huggerie, a, slovenly
huif, n, hoof
huik, n, hook
humf, n, hump
humfie-backit, a, hump-backed
hunder, n, hundred
hungir, n, hunger
hunker, v, squat
hurcheon, n, hedgehog
hurdies, n, buttocks
hure, n, whore
hurkil, v, crouch
hurl, v,n, wheel
hyde, v, hide
hyne, v, far
hyst, v, raise

i, prep, in
ilk(a), a, each
ilkane, pron, each one
ill, n,a, evil, difficult
ill-trickit, a, mischievious
ill-uise, v, ill-use
im, v, am
impiddence, n, impudent
inbring, v, import
inby, prep, inside
infuise, v, infuse
ingether, v, collect
ingil, n, fire
ingyne, n, genius
innerlie, a, kindly
inouth, prep, within
inower, prep, within
insteid, adv, instead
inti, prep, into
intil, prep, into
intimmers, n, internal organs
invyte, v, invite
ir, v, are
ingil, n, fire
Inglish, a, English
ither, a, other
itsell, pron, itself
iz, pron, us, me

jaeluss, a, jealous
jag, v, prick
jaiket, n, jacket
jalouse, v, figure
Janwar, n, January
jarg, v, creak
jaud, n, jade
jaug, n, leather bag

jaup, v, splash
jaur, n, jar
jaw, v,n, surge of water
jeigil, v,n, shake
jeil, v,n, congeal
jeilie, n, jelly
jekdaw, n, jackdaw
jie, v, stir
jiggot, n, leg of lamb
jilp, a, splash
jimp, a, close
jingil, v,n, jingle
jink, v,n, dodge
jirbil, v,n, splash
jizzen, n, child-bed
jo, n, sweetheart
joco, a, cheerful
joug, n, jug
jougil, v, juggle
jouk, v,n, avoid
joukerie, v,n, trickery
jowe, v, toll bell
Juin, n, June
juist, a, just
Julie, n, July
jummil, v,n, jumble
jyle, n, jail
jynar, n, joiner
jyne, v,n, join

kail, n, broth
kaim, v,n, comb
kebbok, n, cheese
kedge, v, stuff
keik, v,n, peep
keilie, n, tough
keing, n, king

keinin, n, wailing
kekkil, v,n, cackle
kelter, v,n, tilt
kemp, v, contend
ken, v,n, know
kennin, n, trace
kenspekkil, a, conspicuous
kep, v,n, catch
ker-haundit, a, left-handed
kerlin, n, old woman
kerve, v, carve
kest, v,n, cast
kevil, v, shamble
kilt, v, tuck up
killin-houss, n, abattoir
kimmer, n, wife
kinderspiel, n, play group
kink, n, twist
kink-hoast, n, whooping cough
kinnil, v, kindle
kinrik, n, kingdom
kintrie, n,a, country
kirk, n, church
kirk-hantin, a, church-haunting
kirkyaird, n, churchyard
kirn, v,n, churn
kirtil, v, tuck up
kis, c, because
kitlin, n, kitten
kittil, v,n, tickle
kizzen, v, cousin
knackie, a, skilful
knap, v, knock
knok, n, clock
knowe, n, hillock
kye, n, cattle
kynd, a, kind

kyte, n, belly
kyth, v, appear
kythin, n, manifestation

labber, v, slobber
laddie, n, boy
laest, a, least
laich, a, low
laid, n, load
laif, n, loaf
laip, v, lap
lair, v,n, inter
laird, n, lord
lairn, v, teach
laith, a, reluctant
Laitin, n, Latin
laithe, v, loathe
laithsum, a, loathsome
laiverok, n, lark
lamp, v, stride
lane, a, solitary
lanesum, a, lonely
lang, v, long
lang-heidit, a, wise
langir, a, longer
lang-nebbit, a, nosey
langsum, a, tedious
langsyne, adv, long ago
lapper, v, curdle
lassie, n, girl
lat, v, let
lauch, v,n, laugh
lave, n, remainder
lawin, n, account
lealtie, n, loyalty
lecter, n, lecture
leddie, n, lady

leeve, v, live
leibrie, n, library
leid, v,n, lead
leif, n, leaf
leil, a, loyal
leim, v,n, gleam
leimit, n, limit
leinge, v, slouch
leir, n, learning
leirie, n, lamp-lighter
leisum, a, pleasant
leit, n, list
leive, v,n, leave
len, v,n, lend
lenth, a, length
lest, v,a, last
lether, v,n, leather
lib, v, castrate
licht, v,n, light
lichtless, a, despondent
lichtlie, v, disparage
lichtsum, a, delightful
lift, n, sky
lig, v, lie
lik, v,n, thrash
lilt, v, sing
limmer, n, low woman
lingil, v, fetter
link, v, trip
linn, n, waterfall
lint, v, relax
lintie, n, linnet
lip, v, taste
lippen, v, trust
lipper, v, ripple
lirk, v,n, crease
lither, v, idle

littil, a, little
loan, n, lane
loanin, n, field
lok, v,n, lock
lopper, v, coagulate
losh, int, exclamation
loss, v,n, lose
loue, v, love
louelie, adv, softly
loun, n, youth
lounder, v, thrash
lourd, a, heavy
louss, n, louse
lousum, a, lovable
loutch, v, slouch
lowden, v, abate
lowe, v,n, glow
lown, v,a, abate
lowp, v, leap
lowrie, n, fox
lowse, v, loosen
lowsen, v, loosen
lowss, a, loose
lowt, v, stoop
lubbart, n, lout
ludge, v, lodge
lug, n, ear
luif, n, palm
luik, n,v, look
luim, n, chimney
luiv, v,n, love
lum, n, loom
lunt, v,n, blaze
ly, v,n, lie
lyart, a, gray-haired
lyfe, n, life
lyke, v, a, like

lyker, a, more like

ma, a, my
mad, a, angry
maen, v,n, moan
maik, n, model
maimorie, n, memory
mainners, n, manners
mair, a, more
mairch, v,n, march
mairch, n, boundary
mairchless, a, infinite
mairrie, v, marry
mairter, n, martyr
maist, a, most
maister, n, master
maitter, v,n, matter
maivis, n, thrush
mak, v,n, make
makkar, n, poet
mammie, n, mother
mangil, v,n, mangle
mank, v, spoil
map, v, nibble
marrae, n, marrow
masell, pron, myself
mask, v, infuse
massie, a, boastful
massielyke, a, boastful
maucht, n, might
mauchtless, a, helpless
mauk, n, maggot
maun, v, must
mauner, v, gossip
maut, n, malt
maw, n, gull
maw, n, mow

mawkin, *n*, hare
mebbe, *adv*, perhaps
mediciner, *n*, physician
mein, *v,a*, mean
meinister, *n*, minister
meinit, *n*, minute
meir, *n*, mare
meissil, *v*, crumble
meisterie, *n*, mystery
meisure, *v,n*, measure
meith, *n*, quality
mell, *v*, blend
mell, *n*, mallet
mense, *v*, adorn
mense, *n*, sense
mensefu, *a*, sensible
merbil, *n,a*, marble
mercat, *n*, market
merk, *v,n*, mark
merle, *n*, blackbird
messages, *n*, errands
Mey, *n*, May
mirk, *n*, darkness
micht, *n*, might
michtie, *a*, mighty
midden, *n*, refuse heap
middil, *v*, meddle
middlin, *a*, quite
midge, *v*, shift slightly
mim, *a*, prim
minnie, *n*, mother
mint, *v*, intend
mird, *v*, meddle
mirk, *n*, darkness
mirkil, *v*, darken
mirksum, *a*, dark
miscaw, *v*, miscall

mischaunce, *n*, misfortune
mischieve, *v*, injure
misdout, *v*, disbelieve
mishanter, *n*, misfortune
misken, *v*, disown
mislear, *v*, misguide
mislippen, *v*, mistrust
mismak, *v*, unsettle
mistak, *v,n*, mistake
mither, *n*, mother
mittil, *v*, mutilate
mizzil, *v*, speckle
mocher, *v*, coddle
mochie, *a*, humid
mochiness, *n*, dampness
monie, *a*, many
mou, *n*, mouth
moul, *n*, soil
moup, *v*, impair
moupit, *a*, drooping
mouss, *n*, mouse
mouss-wab, cob-*web*
mout, *v,n*, moult
moutch, *v*, loaf
mouter, *v*, fret
mowdie, *n*, mole
muin, *n*, moon
muir, *n*, moor
mukkil, *a*, much
mull, *n*, mule
mugg, *v*, defile
mummil, *v,n*, mumble
mump, *v*, mope
murl, *v*, crumble
murlin, *n*, crumb
murmil, *v,n*, murmer
murn, *v*, mourn

murr, v, purr
mutch, n, coif
mynd, v,n, remember, mind
myce, n, mice
myle, n, mile
mynd, v, remember
mynes, pron, mine
mype, v, chatter

nae, a, no
naebodie, n, nobody
naet, a, neat
naething, n, nothing
naewhaur, adv, nowhere
nairrae, a, narrow
naither, a, neither
naitral, a, natural
nakkie, a, ingenious
nameliheid, n, reputation
nane, a, none
neb, n, nose
neglek, v, neglect
neibor, n, neighbor
neiborheid, n, neighborhood
neip, n, turnip
neist, adv, next
neive, n, fist
neivefu, n, fistful
nesh, a, delicate
neuk, n, corner
nevil, v, punch
newfangilt, a, innovating
nicher, v,n, neigh
nicht, n, night
nidge, v,n, squeeze
niffer, v, barter
nip, v,n, tingle

nirl, v, shrivel
nit, n, nut
nither, v, tremble
niv, n, fist
nocht, n, nothing
norie, n, notion
norlins, a, northwards
nou, adv, now
nourice, v,n, nurse
nurr, v, snarl
nyaf, n, dwarf
nyatter, v, chatter
nyne, a, nine

o, prep, of
objek, v,n, object
ocht, n, anything
onby, prep, onto
onding, n, downpour
ongaun, n, behaviour
onie, a, any
oniebodie, n, anybody
oniewey, adv, anyway
oniewhaur, adv, anywhere
onti, prep, onto
oor, n, hour
oot, prep, out
or, prep, ere, before
ordnar, a, ordinary
orra, a, odd
ort, v, waste
oubit, n, caterpillar
our, a, our
ourie, a, chilly
oursells, pron, ourselves
out, prep, out
outby, prep, outside

outlin, n, alien
outower, prep, beyond
outwye, v, outweigh
ower, prep, over
owerby, prep, over the way
owergae, v, surpass
owerhail, v, overtake
owertak, v, overtake
oxter, n, armpit

paction, n, deal
paerl, n, pearl
paidil, v,n, paddle
paigil, n, housework
paik, v,n, beat
painch, n, paunch
parlor, n, lounge
pairiss, n, parish
pairt, v,n, part
pairtial, a, partial
pairtie, n, party
paitrik, n, partridge
pang, v, cram
pant-wal, n, town well
parritch, n, porridge
paveilion, n, pavilion
pawmie, n, blow on hand
pech, v,n, pant
pechil, v, pant
peilie-wallie, a, pale
peinge, v, whine
peinie, n, pinafore
peir, a, pear
peirie, a, little
peitie, n, pity
peitiefu, a, pitiful
pend, n, arch

pent, v,n, paint
perfit, a, perfect
perjink, a, neat
perk, n, park
permeission, n, permission
pernikitie, a, fastidious
pey, v,n, pay
picter, n, picture
pikkil, n, a few
pincil, n, pencil
pingil, v, strive
pinkie, n, little finger
pirn, n, reel
pish, v,n, urinate
pit, v, put
pitmirk, a, very dark
plainstane, n, flagstone
plaister, n, plaster
plank, v, place
plash, v, splash
pleip, v, chirp
pleisir, n, pleasure
plenish, v, furnish
pliskie, n, escapade
plot, v, scald
plou, n,v, plough
plouk, n, pimple
ploum, n, plum
plowter, v, dabble
ploy, n, venture
plunk, v, shirk
podil, n, tadpole
poke, n, bag
polis, n, police
pou, v, pull
pouer, n, power
pouk, v, pluck

poukit, a, meagre

poupit, n, pulpit

pourie, n, jug

poutch, n, pocket

pouter, v, poke

pouther, v, n, powder

poutrie, n, poultry

powe, n, head

pownie, n, pony

praisent, n, present

prein, n, pin

preive, v, prove

preserr, v, preserve

press, n, cupboard

prie, v, taste

prig, v, importune

primp, v, dress up

primpie, a, affected

prink, v, titivate

promiss, v,n, promise

propone, v, propose

proveision, n, provision

psaum, n, psalm

puddens, n, entrails

puddok, n, frog

pudgetie, a, podgy

puffil, v, puff up

pug, n, monkey

puggil, v, fatigue

puil, n, pool

puir, a, poor

puirlyke, a, poor

puir-moued, a, pathetic

puirtith, n, poverty

pul, n, pull

pund, n, pound

purpie, a, purple

putt, v,n, push

puttok, n, buzzard

puzzin, v,n, poison

pyke, v, pilfer

pyne, n, pain

pyot, n, magpie

pyke, pilfer

pypar, n, piper

quaet, a, quiet

quaisten, v, n, question

quarrel, v, reproach

quut, v, quit

quyne, n, girl

radgie, a, horny

rael, a, real

raen, v, rant

raggitie, a, ragged

raibil v, gabble

raiglar, a, regular

raik, v,n, roam

raip, n, rope

rair, v,n, roar

raither, ad, rather

raivil, v, n, entangle

rammage, v, storm about

ramp, v,n, romp

ramsh, v, eat greedily

ramskeirie, a, restless

ramstam, a, headlong

randie, n, fierce woman

range v, search

ranter, v, darn coarsely

rattan, n rat

raukil, a, rough

raw, n, row

recuiver, v, recover
redd, v, tidy
reddie, a, ready
refuise, v, refuse
regaird, v, n, regard
reid, a, red
reik, v,n, smoke
reim, v, foam
reimil, v, rumble
reinge, v,n, range
reishil, v,n rustle
reissil, v,n, clatter
reist, v, impound
reive, v, plunder
rek, v, reckon
releigion, n, religion
reserr, v, reserve
respek, v, n, respect
richt, a, right
rift, v, n, belch
riggin, n, roof
rikkil, n, skeleton
rin, v, run
rinkit, v, encircled
roch, a, rough
rone, n, gutter
rouk, v, plunder
roukie, a, foggy
roum, v, install
round, v, whisper
rouse, v, anger
roust, v, rust
rowan, n, mountain ash
rowe, v, roll, tie
rowle, n, rule
rowp, v,n, plunder
rowt, v, bellow

rowth, n, plenty
rugg, v, n, tug
ruif, n, roof
ruit, n, root
rummil, v,n, rumble
runkil, v,n, wrinkle
runt, n, old person
rusk, v, claw
ryal, a, royal
ryde, v,n, ride
rynd, v, attend to
rype, v, ransack
ryse, v, rise
ryve v, tear

sab, v,n, sob
sachless, a, ineffectual
sae, ad, so
saft, a, soft
saicont, a, second
saidil, v,n, saddle
saidlar, n, saddler
saikless, a, innocent
sain, v, bless
saip, n, soap
sair, a, sore
sairie, a, sorry
sair made, a, offended
sal, v, shall
sang, n, song
sangstar, n, singer
sanna, v, shall not
sant, v, disappear
sauch, n, willow
saucht, n, ease
sauf, a, safe
saul, n, soul

saumon, n, salmon

sauntlie, a, saintly

saut, v, n, salt

savendie, n, intelligence

sax, a, six

sea-maw, seagull

sech, v,n, sigh

seik, v,a, vomit

seiken, v, sicken

seil, v, strain

seilfu, a, pleasant

seindil, a, seldom

seip, v, ooze, leak

seirop, n, syrup

seistem, n, system

seivin, a, seven

seivint, a, seventh

sek, n, sack

sell, pron, self

semmit, n, vest

sempil, a, simple

sensyne, adv, since then

seip, v, ooze, leak

serk, n, shirt

serr, v, serve

Setterday, n, Saturday

settil, v, settle

sey, v,n, sieve

shae, v,n, shoe

shaemakkar, n, shoemaker

shaidae, n, shadow

shairn, n, dung

shak, v,n, shake

shammil, v, distort

shank, v, walk

shauchil, v, shuffle

shaw, v,n, show

shaw, n, copse

shedd, v, separate

shein, v,n, shine

sheir, v, shear

sherp, v,a, sharpen

sheuch, n, ditch

shilfie, n, chaffinch

shilpit, a, puny

shilpit lyke, a, ill thriven

shog, v, n, jolt

shore, v, threaten

shoug, n, push

shougil, v, shake

shour, n, shower

shouther, n, shoulder

showd, v, sway

showl, v, grimace

shue, v, sew

shuin, n, shoes

shuir, a, sure

shuirlie, adv, surely

shuit, v, shoot

shunder, n, cinder

shyne, v,n, shine

shyte, v,n, defecate

sib, a, related

sic(can), a, such

siccar, a, secure

sicht, v,n, sight

siclyke, a, such-like

sicwyse, a, thus

sie, n, sea

siller, n, money

simmer, n, summer

sinder, v, sunder

singil, a, single

sirpil, v,n, sip

sist, v, delay *(legal)*
skaich, v, pilfer
skaik, v, bedaub
skail, v, empty, spill
skaith, n, harm
skantlins, ad, scarcely
skart, v,n, scratch
skaud, v,n, scald
skaum, v, scorch
skech, v, sponge
skeil, n, skill
skeirie, a, irresponsible
skelf, n, splinter
skellie, a, squint
skelloch, v,n, whoop
skellum, n, rascal
skelp, v,n, slap
skerr, n, precipice
skif, v,n, skim
skimmer, v, flicker
skinfu, n, skinful
skink, n, soup
skinkil, v,n, twinkle
skirl, v,n, scream
skitter, v,n, have diarrhoea
sklaf, v,n, slap
sklammer, v,n, clamber
sklatch, v, bedaub
sklef, a, level
sklent, v, slant
sklif, v, graze
sklim, v,n, climb
skonce, v, guard
skone, v,n, crush flat
skouk, v, hide
skounge, v, slink about
skowder, v, singe

skowth, n, scope
skraibil, v, n, scrabble
skraich, v,n, screech
skrammil, v,n, scramble
skreil, v,n, scream
skreinge, v,n, glean
skreivar, n, writer
skreive, v,n, write
skrimp, v, stint
skrog, n, crab apple
skuddok, n, piece
skuil, school
skuilmaister, n, schoolmaster
skuldudderie, n, indecency
skult, v, beat
skunner, v,n, disgust
skunnersum, a, disgusting
skyme, v, gleam
skyre, a, bright
skyte, v, slip
slae, n, sloe
slaiger, v, n smear
slaik, v, eat greedily
slairge, v, smear
slaister, v,n, slop
slait, v, abuse
slaiter, n, wood-louse
slap, n, pass
slauchter, v, slaughter
sleikit, a, sly
slerk, v,n, lick greedily
slidder, a, slippery
slogger, v, hang down
slokken, v, quench
slorp, v,n, eat noisily
sloum, v, slumber
slounge, v,n, lounge

sly, v,n, slide
slyde, v,n, slide
slype, v, peel
smad, v, stain
smaw, a, small
smaw-boukit, a, shrunken
smawlie, a, puny
smawlie-made, a, fine-boned
smeddum, n, spirit
smeik, v,n, smoke
smert, a, smart
smirl, v,n, smirk
smirr, n, small rain
smirtil, v,n, smirk
smit, v,n, infect
smitch, n, spot
smittil, a, infectious
smowt, n, small animal
smuist, v, smoulder
smule, v, slip away
smure, v, smother
smult, v, crop
snak, v,n, bite
snap, v, seize chance
snash, n, rudeness
snaw, n, snow
snawsell, a, all snow
sned, v, lop
sneish, v, take snuff
snek, v,n, latch
snek-drawer, n, crafty person
snell, a, chilly
snib, v, n, bolt
snirt, v, laugh secretly
snirtil, v,n, sneer
snod, v, a, smooth, trim
snodge, v, pace

snoove, v, glide, spin
snork, v,n, snort
snotter, v,n, run of nose
snouk, v, sniff
snoul, v, cringe
snuve, v, glide
socht, v, sought
sojer, n, soldier
sonsie, a, plump
soor, a, sour
sorn, v, sponge
sorner, n, parasite
sort, v, arrange
sotter, v, simmer
sou, n, sow
souch, v,n, sigh
soud, v, should
soudna, v, should not
souk, v,n, suck
soum, v,n, swim
soumar, n, swimmer
soup, v,n, sweep
soupil, a, supple
soutar, n, shoemaker
sowder, v,n, solder
sowe, v, sow
sowens, n, gruel
sowf, v, hum
sowk, v, drench
sowl, n, soul
sowp, v,n, sup
spae, v, prophesy
spaen, v, wean
spaicial, a, special
spail, n, splinter
spairge, v, bespatter
spang, v, span

spartil, v, wriggle
spaul, n, limb
speider, n, spider
speik, v, speak
speil, v, climb
speils, n, duties
spelder, v, spread
sperfil, v, scatter
sperk, v,n, spark
speil, v,n, climb
speirit, n, spirit
speug, n, sparrow
spier, v, enquire
spirl, v, whirl
splairge, v, bespatter
splatter, v,n, sprinkle
splore, n, frolic
spounge, v,n, sponge
sprattil, v, scramble
sprauchil, v, flounder
spreid, v,n, spread
spreit, n, spirit
springheid, n, origin
spuin, n, spoon
spunkie, a, plucky
spurtil, v, wriggle
spurtil, n, wooden spoon
spy, v,n, spy
spyle, v, spoil
stacher, v,n, stagger
staig, v,n, stalk
staive, v,n, sprain
staiver, v, stagger
stamagast, n, storm
stammik, n, stomach
stane, n, stone
stank, n, pond

stap, v,n, stop, cram
staun, v,n, stand
staup, v,n, step
staw, v,n, stall
stech, v, stuff
steid, n, place
steidin, n, steading
steik, v,n, close, stitch
steil, v, steal
steing, v,n, sting
steir, v,n, stir
steive, a, hard
stell, v, prop
stent, v,n, extend
sterk, a, strong
stern, n, star
stert, v,n, start
sterve, v, starve
stevil, v, stumble
stey, v,n, stay
stik, v, endure
stint, v, restrict
stirrie, n, starling
stishie, n, bustle
stob, n, stake
stot, v,n, bounce
stotter, v, totter
stouk, n, rick of corn
stound, v,n, throb
stour, v,n, run, dust
stourie, a, dusty
stoursell, a, all dusty
stovies, n, stewed potatoes
stowe, v,n, store
stown, v, stolen
stowp, n, measure
strae, n, straw

straidil, v, straddle

straik, v,n, stroke

stramash, a, uproar

stramp, v,n, tramp

strang, a, strong

strangir, a, stronger

strauchil, v,n, struggle

stravaig, v,n, wander

strecht, a, straight

strechten, v, straighten

streik, v,n, stretch

streil, v, urinate

streitch, v,n, stretch

strik, v,n, strike

strinkil, v, sprinkle

strone, v, urinate

stroup, n, spout

stroushie, n, uproar

strunt, v,n, strut

stryde, v,n, stride

stryve, v, strive

stug, v,n, stab

stuid, v, stood

stuil, n, stool

stuipit, a, stupid

stump, v, hobble

stunkart, a, sullen

sturt, v,n, trouble

styme, n, particle

stymie, v,n, obstruct

styte, n, nonsense

styter, v, totter

suin, ad, soon

sum, a, some

subject, n, v, subject

sumbodie, n, somebody

sumf, n, fool

sumwhaur, adv, somewhere

sutten, v, seated

swaiver, v, stagger

swak, v,n, swipe

swak, a, supple

swakken, v, make supple

swall, v, swell

swallae, v,n, swallow

swap, v,n, swop

swaw, v,n, make waves

sweil, v, swill

sweir, a, reluctant

sweir, v,n, swear

sweit, v,n, sweat

swerf, v,n, faint

swey, v,n, sway

swik, v,n, cheat

swink, v, toil

swither, v,n, hesitate

swyre, n, neck

swyth, adv, immediately

syke, n, marsh

syle, v, filter

synd, v,n, rinse

syne, adv, then

sype, v,n, trickle

syver, n, drain

tae, n, adv, toe, too

taen, v, taken

taiblet, n, tablet

taid, n, toad

taidspue, n, toad spawn

taigil, v,n, harass

taiken, n, token

tairge, v, cross-examination

tairt, n, tart

taissil, *v*, entangle

tait, *n*, particle

taits, *n*, locks

taiver, *v*, wander

tak, *v*, take

tap, *n*, top

tarrow, *v*, linger

tash, *v*, spoil, tarnish

tattie, *n*, potato

tattie-bogil, *n*, scarecrow

tattrel, *n*, rag

taupie, *n*, hoyden

teil, *n*, till

tein, *n*, rage

teir, *v*,*n*, tear

teitch, *v*, teach

teitil, *n*, title

televeision, *n*, television

tent, *v*,*n*, attend to

tentie, *a*, careful

teuch, *a*, tough

teuchtar, *n*, bumpkin

tew, *v*, knead

thae, *a*, those

thai, *pron*, they

thaim, *pron*, them

thair, *pron*, their

thairsells, *pron*, themselves

thak, *n*, thatch

than, *adv*, then

thare, *adv*, there

thegither, *adv*, together

theik, *v*,*n*, thatch

the-day, *ad*, today

the-morn, *ad*, tomorrow

the-nicht, *adv*, tonight

the-nou, *adv*, just now

thenk, *v*, thank

thir, *pron*, these

thirl, *v*, be bound

tho, *c*, though

thocht, *n*, thought

thole, *v*, endure

thon, *a*, those

thorter, *v*,*n*, thwart

thoum, *n*, thumb

thousan, *a*, thousand

thowe, *v*,*n*, thaw

thoweless, *a*, listless

threat, *n*, threat

threaten, *v*, threaten

thrammil, *v*, wind

thrang, *v*,*a*, throng

thrappil, *v*, *n*, throttle

thraw, *v*,*n*, throw

thrawart, *a*, awkward

thrawn, *a*, difficult

threid, *v*,*n*, thread

threip, *v*,*n*, insist

thresh, *v*,*n*, thresh

thrie, *a*, three

thrissil, *n*, thistle

throu, *prep*, through

thrum, *v*,*n*, strum

thrummil, *v*, squeeze

thryve, *v*, thrive

thunner, *v*,*n*, thunder

ti, *prep*, to

ticht, *a*, tight

tid, *n*, temper

tig, *v*,*n*, tap

til, *prep*, to

till, *prep*, until

tinkil, *v*, trifle

tint, a, lost

tipper, v, walk on toes

tirl, v,n, vibrate

tirr, v, strip

tirrivee, n, rage

tither, a, other

tocher, v,n, dower

tot, n, total

tottie, a, tiny

tottil, v, toddle

touer, n, tower

touk, n, flavor

toun, n, town

tousie, a, rough

tousil, v,n, ruffle

tout, v,n, trumpet

tove, v, chat

towe, v,n, tow

traet, v,n, treat

traik, v,n, wander

traivel, v,n, travel

tramort, n, corpse

trauchil, v,n, drudge

treid, v,n, tread

trekkil, n, treacle

trew, v, believe

trig, a, neat

trinnil, v,n, trickle

troke, v,n, barter

tron, n, weighing machine

truibil, v,n, trouble

truist, v,n, trust

truith, n, truth

trummil, v,n, tremble

trump, v, deceive

truntil, v, trundle

tryst, v,n, meet

tuim, v,a, empty

tuin, n, tune

tuith, n, tooth

tuive, v, swell

tulyie, n, brawl

tulyiesum, n, quarrelsome

tummil, v,n, tumble

tung, n, tongue

ture, v, tore

twa, a, two

twal, a, twelve

twantie, a, twenty

twyne, v, part

tyauve, v,n, struggle

tyce, v, entice

tyde, n, tide

tyke, n, cur

tylar, n, tailor

tyme, n, time

tyne, v, lose

Tysday, n, Tuesday

ugg, v, loathe

ugsum, a, ugly

uise, v, use

uiss, n, use

uissless, a, useless

unco, a, very

uncuiver, v, uncover

unsiccar, a, unsteady

unsnek, v, unlatch

unsnib, v, unbolt

unsteik, v, unfasten

uphaud, v, uphold

uppermaist, a, uppermost

utmaist, a, utmost

vaig, v, wander
veiciuss, a, vicious
veinigar, n, vinegar
veision, n, vision
veisit, v,n, visit
vennel, n, alley
verra, a, very
vex, v, irritate
virr, n, force
vyce, n, voice

wabstar, n, weaver
wad, v, wed, would
waddin, n, wedding
wae, a, sad
waek, a, weak
waesum, a, sad
wae-wan, a, sad
waf, v, wander
waff, n, odour
waffie, n, vagrant
wair, v,n, spend
waird, v,n, guard
wairn, v, warn
wal, n, well
walcum, n, v, welcome
wale, v, choose
wallae, v,n, wallow
wallie, v, fade
wallidrag, n, slut
wallidraigil, n, feeble person
walthie, a, wealthy
wame, n, belly
wammil, v, undulate
wanchancie, a, unlucky
wanner, v, wander
wantin, v, lacking

wap, v, wrap
wappin, n, weapon
war, v, were
wark, v,n, work
warld, n, world
warnish, n, warn
warskil, v,n, struggle
wastrie, n, extravagance
wat, a, wet
wattir, n, water
wattirgaw, n, rainbow
waucht, v,n, quaff
wauk, v, wake
wauken, v,a, waken
waukrif, a, wakeful
waur, a, worse
waw, n, wall
wean, n, infant
wecht, n, weight
wechtie, a, weighty
wechten, v, make heavier
weidae, n, widow
weiger, v, wager
weill, adv, well
weill-daein, respectable
weimen, n, woman
weing, n, wing
weir, v, wear
weird, v,n, fate
weirdrie, n, magic
weirie, v,a, weary
weirisum, a, wearisome
weit, v,a, wet
welter, v, upset
wersh, a, tasteless
wes, v, was
wesh, v, wash

wesna, v, was not
westlin, a, westerly
wey, n, way
wha, pron, who
whaizil, v, wheeze
whan, adv, when
whang, n, portion
whare, adv, where
whas, pron, whose
whatfor, adv, why
whaup, n, curlew
whaur, adv, where
wheimer, v,n, whimper
whein, n,a, few
wheinge, v,n, whinge
wheip, v,n, squeak
wheipil, v, whistle
wheisht, int, be quiet
whiffle, v, play flute
whigmaleirie, n, whim
whilk, pron, which
whirrie, v, whir away
whit, pron, what
whitter, v, chatter
whitwey, adv, why
whud, v, scud
whudder, v, whiz
whummil, v, overturn
whup, v,n, whip
whurl, v,n, whirl
whussil, v,n, whistle
whuther, pron, whether
whuttil, n, knife
whyles, adv, sometimes
wi, prep, with
win, v, reach
windae, n, window

winna, v, will not
wind, v, wind
winnilstrae, n, withered grass
winnok, n, window
wintil, v, stagger
wittins, n, knowledge
Wodinsday, n, Wednesday
wone, v, dwell
woo, v, wool
wrang, a, wrong
wrocht, v, worked
wrutten, v, written
wryte, v, write
wud, n,a, wood, mad
wuddie, n, gallows
wul, v, will
wull, n, will
wumman, n, woman
wun, v, win
wund, n, wind
wunner, v,n, wonder
wundie, n, window
wunter, n, winter
wurd, n, news
wure, v, wore
wurk, v, work
wurm, n, worm
wurn, v, complain
wuss, v,n, wish
wutch, n, witch
wuther, v, wither
wuts, n, wits
wyce, a, sensible
wycelyke, a, respectable
wyde, v, wade
wye, v, weigh
wyfe, n, woman

wyle, v, lure
wynd, n, lane
wyne, n, wine
wyse, v, entice
wyte, v, blame

yae, a, one
yaff, n, pert person
yaird, n, yard
yalloch, n, yell
yammer, v,n, lament, harp on
yatter, v,n, chatter
yaup, v, bawl
yaw, v, whine
ye, pron, you
yeir, a, your
yeirsell, pron, yourself
yerk, v, jerk
yerl, n, earl
yerp, v,n, grumble

yestrein, ad, last evening
yett, n, gate
yill, n, ale
yin, a, one
yird, v,n, bury, earth
yit, adv, yet
yoke, v,n, grip
yon, pron, that
yorlin, n, yellow hammer
youk, v, itch
yowdendrift, n, snowstorm
yowe, v, bark
yowf, v,n, bark
yowl, v,n, howl
yowt, v,n, bellow
youthheid, n, youth
yung, a, young
yungir, a, younger
yunkir, n, youth

REFERENCES

1. **Low, J. T.** 1974. 'Scots in Education: The Contemporary Situation' in *The Scots Language in Education,* Occasional Papers No. 3, Association of Scottish Literary Studies.

2. **Robertson, R.** 1993. *The Scottish Language Project.* CHAPMAN *72,57.*

3. **Robertson, T. A. and Graham, J. J.** 1952. 'Grammar and Usage of the Shetland Dialect' in *The Shetland Times,* Lerwick. (reprinted 1991)

4. **Corbett, John,** 1999. *Written in the Language of the Scottish Nation:* Topics in Translation 14. Multilingual Matters Ltd., Clevedon, Philadelphia, Toronto, Sydney, Johannesburg.

5. **Murison, David,** 1979. 'The Historical Background' in *Languages of Scotland.* Association of Scottish Literary Studies. Proceedings of the First International Conference on the Languages of Scotland, Aberdeen.

6. **McClure, J. D.,** 1980. 'Developing Scots as a National Language' in *The Scots Language: Planning for Modern Usage,* Ramsay Head Press, Edinburgh.

7. **Aitken, A. J.** 1980. 'New Scots: The Problems' in *The Scots Language: Planning for Modern Usage, Ramsay* Head Press, Edinburgh.

8. **Milton, C.** 1986. *Hugh MacDiarmid and North-East Scots.* Scottish Language No. 5. Association of Scottish Literary Studies. Proceedings of the First International Conference on the Languages of Scotland, Aberdeen.

9. **MacDiarmid, H.** in *A Drunk Man Looks at the Thistle,* edited by Kenneth Buthlay, Scottish Academic Press, Edinburgh 1987.

10. **Purves, D.** 1997. 'MacDiarmid's Use of Scots: Synthetic or Natural?' *Scottish Language 16,* Association for Scottish Literary Studies.

11. **Macafee, C.** *Characteristics of non-standard grammar in Scotland.* Unpublished paper. www.abdn.ac.uk/~enl038/grammar.htm

REFERENCES

12. **Annand, J. K.** 1973. Editorial in LALLANS 1, Mairtinmas, The Lallans Society.

13. **Sandred, K. I.** 1983. 'Good or Bad Scots' in *Studia Anglistica Upsaliensia 48* (Uppsala: Acta Universitatis Upsaliensis).

14. **Purves, D.** 1997. *The Way Forward for the Scots Language.* Scottish Centre for Economic and Social Research, Peterhead.

15. **Grant, W. and Dixon, J. M.** 1921. *Manual of Modern Scots.* Cambridge University Press.

16. **Robinson, P.** 1997. *Ulster-Scots, A Grammar of the Traditional Written and Spoken Language.* The Ullans Press, Northern Ireland.

17. **Bryson, Bill.** 1991. *Mother Tongue - The English Language,* Penguin Books, London.

18. **Robinson, Mairi,** 1973. 'Modern Literary Scots: Fergusson and After' in *Lowland Scots,* Occasional Papers No. 2, Association for Scottish Literary Studies.

19. **Purves, D.** 1979. 'A Scots Orthography' in *Scottish Literary Journal,* Supplement No. 12. Association for Scottish Literary Studies.

20. **Macleod, I and Cairns, P** (eds) 1993. *The Concise English-Scots Dictionary.* Chambers, Edinburgh.

21. **MacDiarmid, H**. 1987. Editorial in LALLANS 50, Mairtinmass, The Scots Language Society.

22. **MacCallum, N. R. and Purves, D.** (eds) 1995. *Mak it New.* An Anthology of Twenty-one Years of Writing in LALLANS. The Mercat Press, Edinburgh.